JN278093

田中宥《ゆ》久《く》子《こ》の造顔マッサージ

―― 10年前の顔になる ――

Return to the face ten years ago.

Beauty Artisan
Yukuko Tanaka
Method for Face

CONTENTS

造顔マッサージ ………… 04

造顔マッサージの効果 ………… 11

造顔マッサージを行う際の留意点 ………… 14

造顔マッサージのすべて ………… 16

Step:0 ………… 21
Step:1 ………… 22
Step:2 ………… 23
Step:3 ………… 24
Step:4 ………… 25
Step:5 ………… 26
Step:6 ………… 27
Step:7 ………… 28
Step:8-1 ………… 29
Step:8-2 ………… 30
Step:9 ………… 31
Step:10 ………… 32
Step:11 ………… 33

造顔マッサージの前後を比較 ………… 34

読者モデルにも大きな効果 ………… 40

より効果を得るために
知っておきたいことQ&A ………… 42

このDVDの使い方 ………… 46

撮影／たかはしじゅんいち　モデル／くしまゆうこ（カレーラ）

田中宥久子 たなかゆくこ

福岡県生まれ。美容学校を設立した祖母の影響を受けて、美粧の基礎を仕込まれながら幼少時代をすごす。ヘア&メイクアップアーティストとして、映画を中心とした映像の世界で30年余活躍。2003年9月デビューのコスメブランド「SUQQU」のクリエイターを経て独立、現在は映像はもちろんのこと、テレビや雑誌、講演会など多岐にわたり活動中。その独自の美容理論「田中メソッド」は常識を覆す新理論で美容業界に衝撃を与え続けている。第3回ゆうばり国際映画祭ビューティスピリット賞受賞。2006年度マリ・クレールボーテ大賞日本特別賞、「夢幻」のポスターで日本雑誌広告賞シルバー賞、「華爛漫」のポスター（いずれもSUQQU）で講談社広告賞金賞を受賞。著書に『7年前の顔になる　田中宥久子の「肌整形」メイク』（講談社）、『美の法則』（WAVE出版）、『田中宥久子の体整形マッサージ～美しき一枚皮』（講談社）など。

造顔マッサージ

映像の現場で必要に迫られて開発した、
たるみが消える、シワが取れる、輪郭が引き締まる、
顔が若返る奇跡のマッサージ。

私がまだ40代だったころも、仕事場である映画やTVドラマの撮影現場で、数多くの女優や俳優のヘア&メイクを担当してきました。頻繁に仕事をともにする人、あるいは何年かぶりに再会する人もいます。久しぶりに会った人の中には〝顔のたるみが目立ちだしたな〟〝アゴの下に肉がついて、顔が大きくなった〟と、印象の変化に驚かされる方もいらっしゃいました。不思議なことに体型はもう何十年と変わらずスリムなボディをキープしているのに、顔だけがたるむ。シワもあり皮膚感が老けていくんです。

女優たちが私に望むのは〝若くしてちょうだい〟のひと言。プロとして、メイクや髪型で若く見えるように作る、のは簡単なことです。ただし、スチールの撮影と映像の世界は違い、撮影時間が極端に長い。メイクでいくら若く作っても、時間が経てば崩れていく。崩れを直すためにさらに手を加えれば厚化粧になり、かえって老けるし醜くなってしまう。早朝から深夜までメイクの力だけで若い顔を保ち続けることに、限界を感じていました。

土台となる肌をもっと根本的に若くすることはできないのか……。まずは、スキンケアを見直すことが必要、と考え、シワが消える、たるみが取れる化粧品があると聞けば、女優や俳優のためにアレもコレも購入し、全部試したけれど満足できる結果は得られない。それならば、マッサージはどうか。美容のセオリーに従い、肌表面をなぞるように指を優しく動かしても、肌が弱い女優は見る見る赤みが出てくる。これではメイク前の肌が台無し。「スキンケアコスメでもメイクでもなく、肌のたるみを取り、若返らせるにはどうすればいいのか」必要に迫られたこの疑問が、マッサージを開発するための、すべての出発点になったのです。

顔の土台から造り直してこそ若くなる

映像の現場ではさまざまなシチュエーションに遭遇します。その中に、ある医療現場のシーンのための部屋が作られ、小道具のひとつとして人体の模型が置いてありました。撮影の合間にこの人体模型を何気なく見ていると、人間の骨格、筋肉の流れは顔と体とでは違いがあり、顔は内臓がない分、骨格に脂肪や筋肉がつき、血管、リンパが通っている、いたって簡単な作り。それなら、ジムで体の筋肉を鍛えると体が若く締まってくるように、顔の筋肉も鍛えることができるはず。筋肉さえ衰えなければ顔は老けない――。

この発見から、12年にも及ぶ、たるみやシワを取るマッサージの研究が始まりました。

当時の私は撮影現場を渡り歩く過密スケジュールの日々。当然、体は悲鳴を上げ、病院通いせざるを得ないことが多かった。内科、皮膚科、耳鼻咽喉科、呼吸器系科……。さまざまな病院へ通ううち、どの科の先生にも〝ここにリンパがあるんですよね。ここを押すとどうなりますか?〟〝どのくらい力を入れていいの?〟〝声帯はどこにあるの?〟〝目元の神経はどこを走っている?〟と、思いつく限りを質問するうちに、長い間疑問に思っていた、肌がたるむ、顔が老ける原因が、雪が溶けるように徐々に解明されていったんです。

加齢や疲労、ストレスなどで顔の筋肉が硬くなると、リンパも血液も流れが悪くなり、老廃物が溜まるから脂肪も増え、皮膚がたるむ。つまり、硬くなった筋肉をほぐせばリンパや血液の循環がよくなり、結果、顔の老化は改善される……と。

さらに指圧、整体、エステティシャンにも取材を重ね、筋肉を鍛えるために力を加えるにはどの部分に圧力をかけるのが効果的なのか。肌が赤くならないようにするにはどの手や指使いがいいのか。自分自身の顔が実験台でした。

忙しさにかまけ、スキンケアは手抜き状態。42歳のときに58歳といわれたほど、年齢や不規則な生活が顔に刻まれていた私は、かっこうの実験台。たるみが目立つ所は脂肪が溜まっている。そこを押すと痛い。痛いけれどマッサージを続けるとイタ気持ちいい。指全体を使い強く圧力をかけたら、凝っていた筋肉がほぐれた。余分な脂肪がなくなり顔が小さく軽くなった……。試行錯誤を繰り返すうちに顔が変わるポイントがわかり、マッサージが完成しました。

これが撮影現場でメイクの前に私が必ず行っていた〝顔筋マッサージ〟なのです。

より簡単に自分で顔を変える、進化した造顔マッサージ

撮影現場で必要に迫られて生まれたマッサージですが、初めてこのマッサージを体験した方はだれもが、今までの世にあるマッサージとあまりにも違い、驚かれました。まず痛い。マッサ

ージは力を入れず肌をなでるように優しく……が当たり前だった時代に、筋肉に届くように圧力をかける手法は、痛い。でも気持ちいい。この〝イタ気持ちいい〟という感触は初めての体験だったと思います。そして、たった3分で結果が出る。美容は〝継続こそ力なり〟の常識を打ち破り、〝今すぐに、簡単に結果が出る〟ことも話題を集めました。

すでに〝顔筋マッサージ〟を体験してくださった方もいらっしゃると思います。そして、その効果を実感している方も。顔筋マッサージは基本ですので、効果を得られた方はそのまま続けてください。

けれど、なぜ今回、新たに『造顔マッサージ』を提案しようと考えたかというと、〝顔筋マッサージをしています〟という人達に会い、セルフでマッサージをしてもらい私が確認すると押さえるべきポイントにズレがあったり、指や手の使い方や圧力のかけ方を間違えて覚えている人が多くいたからです。残念ながら、これでは本来の効果は得られません。

女性は指が細い人、太い人。力がある人、弱い人がいます。どんな方でも均等に効果を得るためには、〝顔筋マッサージ〟を改善する必要があることを強く感じ、再構築したのが、進化したマッサージである『造顔マッサージ』なのです。

顔筋マッサージは文字通り、筋肉を鍛えるマッサージ。『造顔マッサージ』は、骨格に沿って筋肉を強化していくマッサージ。その結果、10年前の顔に造り変える——。

造顔マッサージは、額から首すじまで顔のすべての部分をマッサージしますが、よりダイレクトに老化の悩みを改善させるため、以前よりも、たるみを取るのに効く場所を徹底的に追求し、念入りにマッサージするステップに変えました。

つまり、顔の印象を老けさせるあらゆるたるみを、より力強く改善させるのです。そのためには、均等に圧力を強くかける必要があります。だから『造顔マッサージ』は手や指使いを覚えやすくし、力がなくても手が小さくても、だれもが間違えず確実に圧力をかけられるマッサージが行えるよう改良されています。これによって脂肪の塊に無理なく圧力をかけて散らすことができ、余分な脂肪を含む老廃物をリンパに流していく――。脂肪とたるみが顕著に現れる頬周りがとくにこの効果を実感できる。

ほうれい線も二重アゴも消えていく。下がり目尻も引き上がる。まるで老化ポイントひとつずつをていねいにリフトアップさせたかのように、顔全体が引き締まっていきます。その上、無駄な脂肪がなくなると目鼻立ちがすっきりとし、中高い小顔の美人顔へと変化していく……。

若くなることを超え、美しくなることがたった3分のマッサージで得られるのです。年をとるのはしかたがないこと。けれど年齢のせいにし、美しくあり続けることを諦めるのは間違い。年齢に関係なくだれでも簡単に、自分の手で美しくなることができるのです。

この『造顔マッサージ』を毎日の習慣にすることで、顔の年齢は自分で造り出せることの楽しさを、ご自身の顔で体験してください。

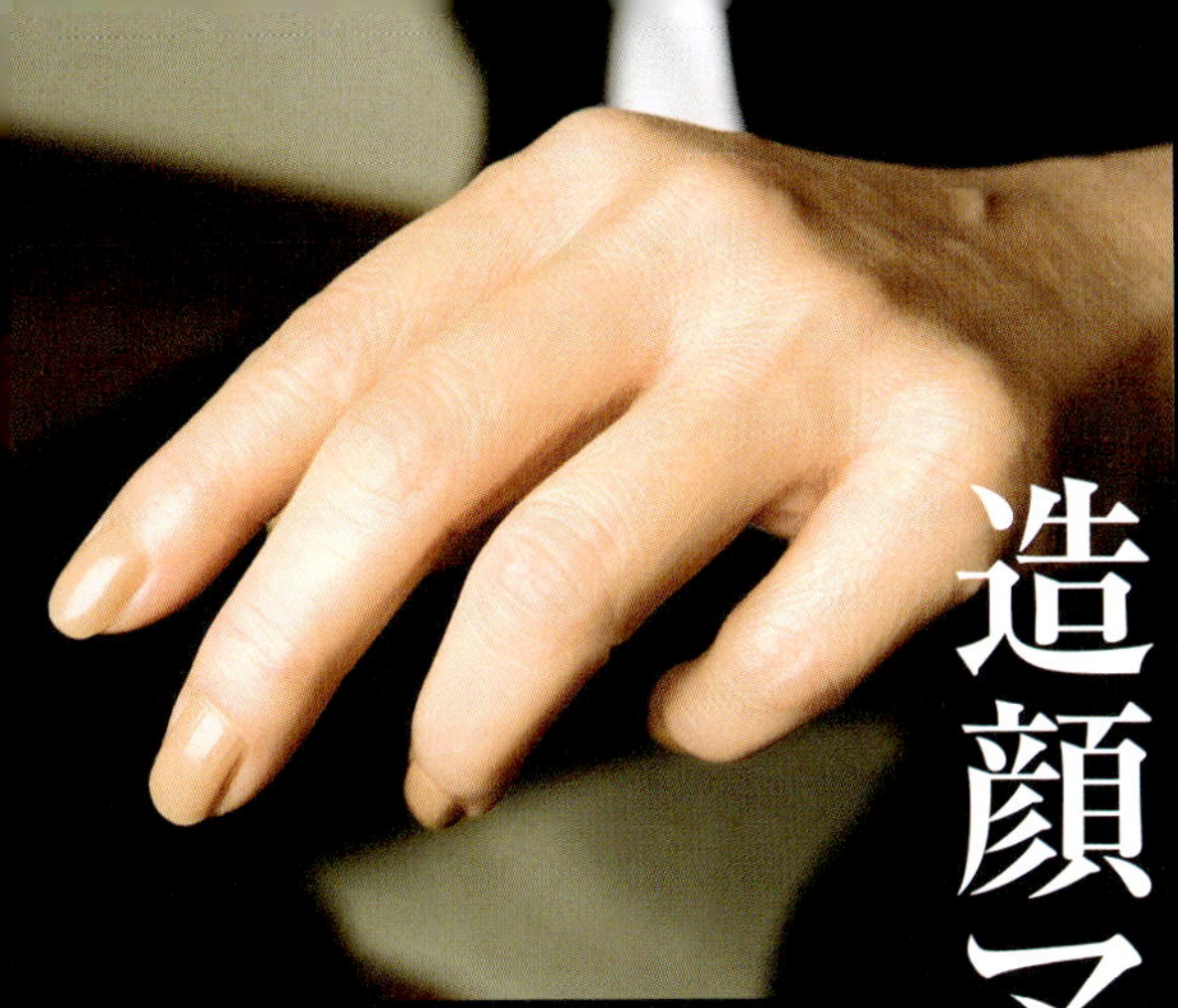

造顔マッサージの効果

脂肪の塊、皮膚のたるみ……が集中する
顔の下半分である頬周りやアゴを、
進化した造顔マッサージで入念に強化。
老化ポイントを次々と改善していく。
所要時間わずか3分。正面、横顔はもちろん、
全方位から見ても隙のない若く美しい、
10年前の顔立ちへと変貌。

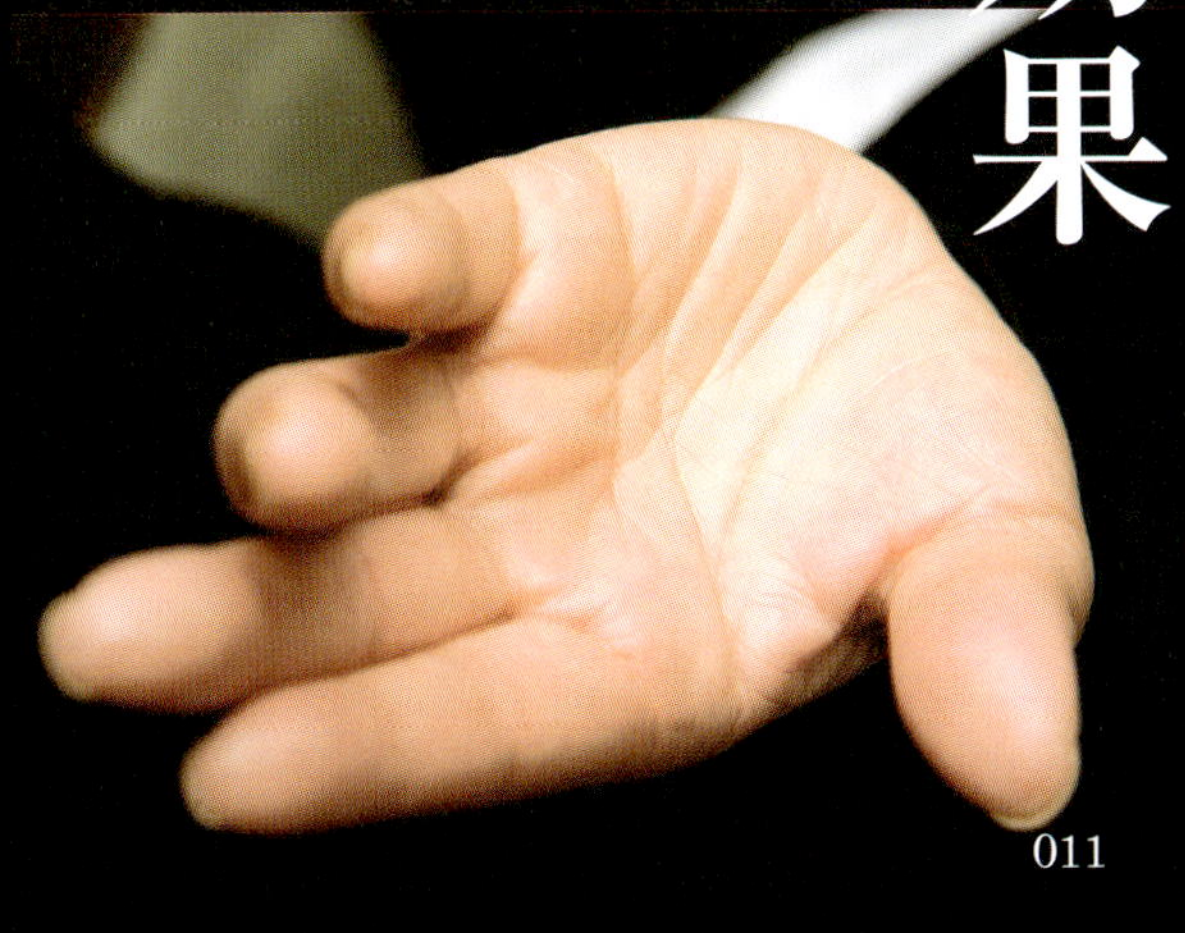

シワやくすみ、たるみや毛穴と
あらゆる悩みに造顔マッサージは
効果絶大のスキンケア

After

Before

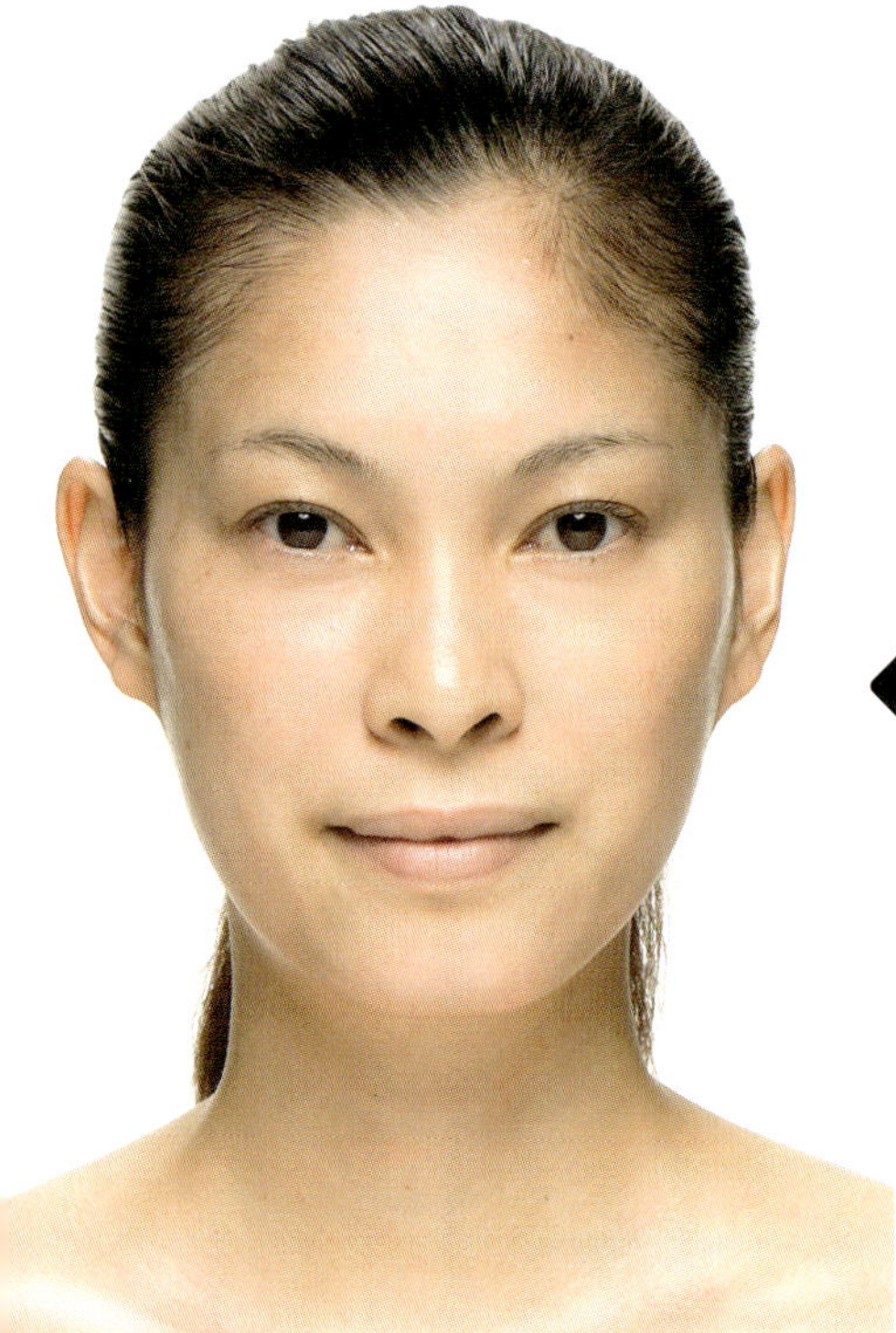

造顔マッサージ直後の顔

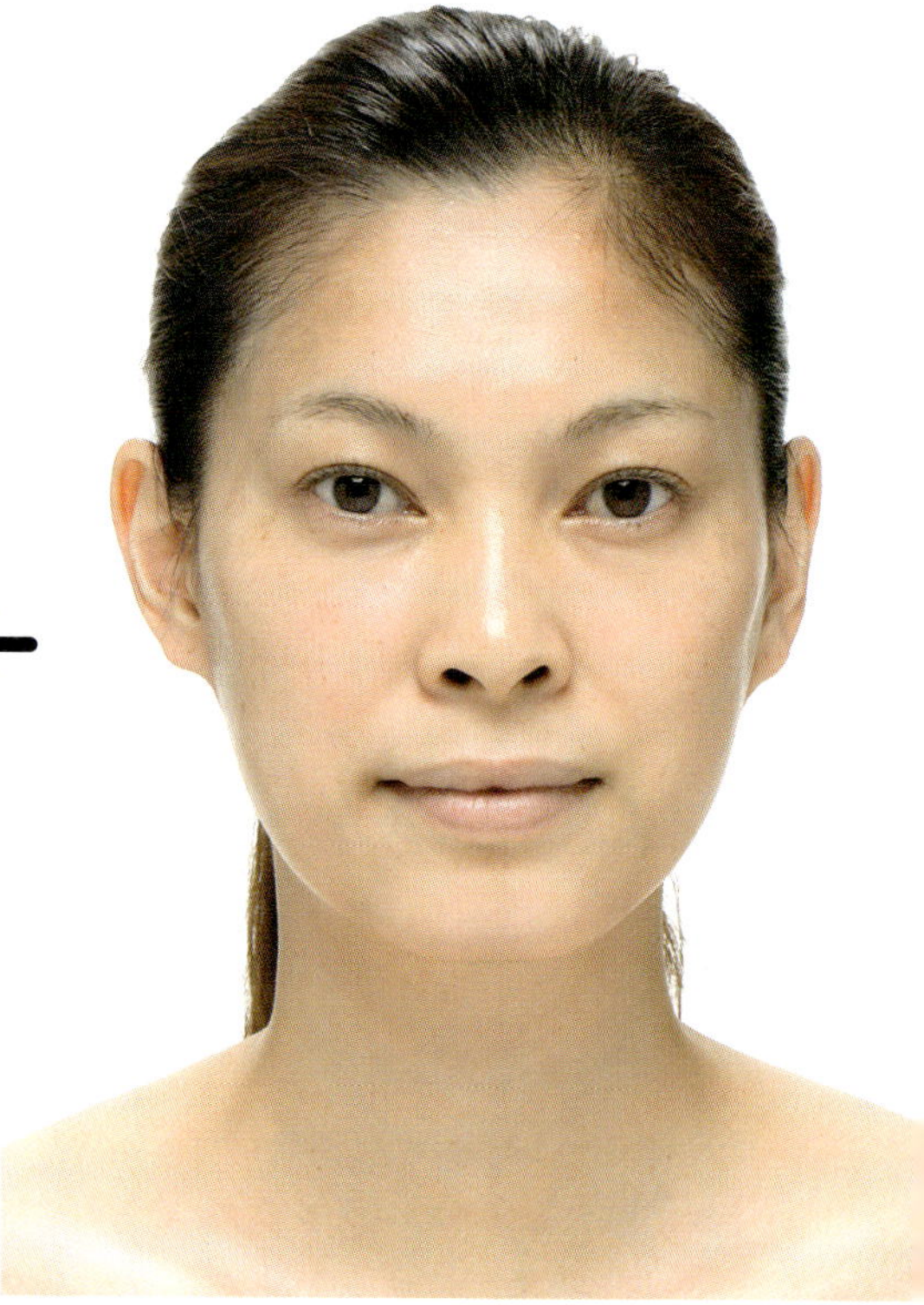

造顔マッサージ直前の顔

右ページのふたつの写真を見比べてください。写真のモデルは30代後半。顔立ちに大きな変化を及ぼすほどの老化現象はまだ現れていません。しかもプロのモデルという仕事柄、ボディは無駄な贅肉のないプロポーションの持ち主。

けれど〝造顔マッサージ直前の顔〟とたった3分間マッサージを行った〝造顔マッサージ直後の顔〟を比較すると、その違いに驚かされます。

フェースラインはもちろん顔全体の印象がシャープに

まず最大の変化は、小鼻横を横軸にした顔の幅がひと回り以上も狭くなったこと。若い顔と老けた顔の印象の違いは、この横幅に顕著に現れます。年齢を重ねるほど重力に逆らえない脂肪が下へ下がり、骨がなく脂肪が溜まり放題となる、頬骨下に集中的に集まってくるからです。そのため、もったりとした下ぶくれ顔になりやすい。シャープさを失った顔は、老けを印象づける原因となるのです。

この、もっとも脂肪が溜まる頬骨下や小鼻周りを強力にマッサージし、余分な脂肪を散らす〝造顔マッサージ効果〟で顔の横幅が引き締まった。アゴを細くし、二重アゴを解消するステップとの相乗効果も顕著に現れ、小顔に変わりました。

輪郭が若くなるだけではない。美人になる。だから〝造顔〟

さらに『造顔マッサージ』が優れている理由は、たるみで埋もれていた頬骨や鼻筋がくっきりと現れだし、美人顔の定義である中高い顔へと変化すること。むくみがちな目元もマッサージ効果で血液の循環がよくなり、むくみや小ジワが解消。たるみ始めた目尻がキュッと上向きになるだけでなく、目の縦と横幅が広がり、目そのものが大きく見え、目力が格段と強まります。

スキンケアの一部であるマッサージの域を超えて、まるで自分の手で顔を造り変える、整形なみの手応えが体験できる、これが驚異の『造顔マッサージ』なのです。

行うときの留意点

注意
- 指や手で肌を〝こする〞〝なでる〞のではなく、
硬くなった筋肉や脂肪の塊に圧力をかける。

注意
- ただし、圧力と指圧は違う。
指先で押すのではなく、手のひら全体、
指全体を使用する気持ちで
顔の骨格に手を添わせ圧力をかける。

注意
- なでる程度ではたるみは消えない。
けれどストレスを感じるほどの痛みではなく
〝イタ気持ちいい〞くらいの強さで。

注意
- 各ステップとも途中でやめず、一連の動作で
首筋まで行う。

注意
- ひとつひとつの動作はゆっくり、ていねいに。

注意
- 壁によりかかり、後頭部をつけて、
腹筋に力が入っているかが圧力が
かかっているかの目安。

注意
- 必ず口は閉じ、奥歯を軽く噛み合わせて行う。

造顔マッサージを

注意
- ひとつのステップが終わったら、ほぐした脂肪や老廃物を〝必ずリンパに流す〟動作を行う。

注意
- マッサージを行うタイミングは、清潔な肌の状態であれば朝晩の2回でも、どちらか1回でも。

注意
- クリームが少ないと刺激を与えることになるので、肌が赤くなる。

注意
- 顎関節症の方、体調がよくない方は、強い刺激を与えないようソフトに。

効果
- メイク前に行えば、ハリ、明るさ、透明感が倍増する。

効果
- たるみ、シワ、毛穴を改善させるだけでなく圧力をかけるマッサージ効果で、毛穴の奥に溜まっていた汚れが押し出される。

効果
- だから肌のくすみも消えていく。

造顔マッサージのすべて

手が小さい、力がない女性でも覚えやすい、額から始まり額に戻るまでのステップは全部で11。絶大な力を秘めた進化した造顔マッサージのすべてを公開。

全ステップ

Step: 0	リンパの流れを促進する 準備体操
Step: 1	額のむくみ、 眉間のシワを改善
Step: 2	目の周りのむくみ、 クマを取る
Step: 3	下がり口角を引き上げる
Step: 4	小鼻の汚れを取り、 鼻筋を高く中高い顔へ
Step: 5	深いほうれい線を消し、 頬全体をリフトアップ
Step: 6	ほうれい線を集中的に取る

造顔マッサージ

Step: 7 小鼻横の脂肪を取り、
ほうれい線を作らせない

Step: 8-1 頬骨下からアゴ先までの
たるみを解消し、小顔に

Step: 8-2 ブルドッグラインを消す

Step: 9 二重アゴを解消。
曖昧なフェースラインを引き締める

Step: 10 顔全体のたるみを引き上げる

Step: 11 額の横ジワを消す

マッサージを始める前に

巨峰1粒大が1回の使用量の目安。使用するマッサージクリームは油分が控えめで、指留まりがいいタイプほど、圧力をかけやすい。

肌に摩擦や刺激を与えないためにも、マッサージクリームは肌が隠れるくらいたっぷりと塗る。

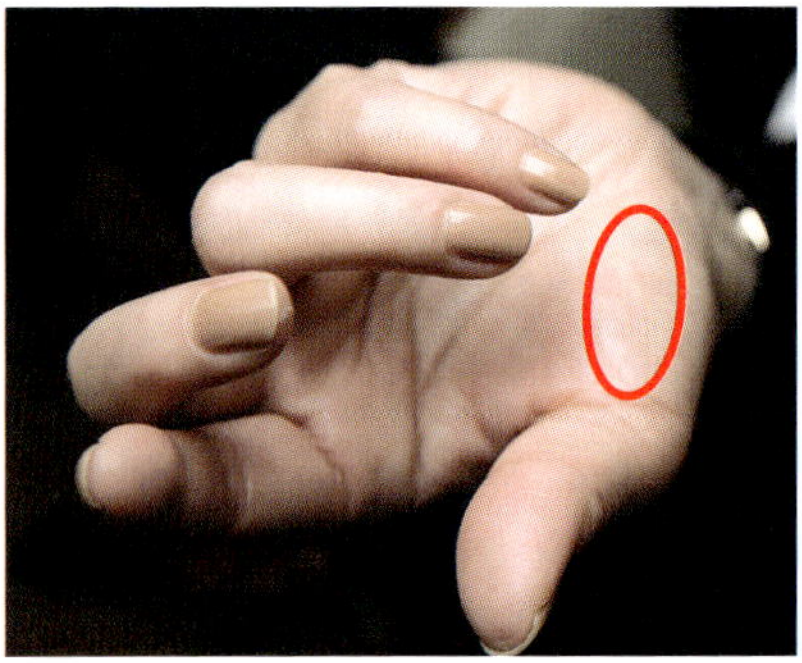

手のひらはこの部分を使って

ステップ8、9で使用する手は、親指のつけ根のふっくらとした部分。

Step:0

リンパの流れをよくする準備体操

1

1
脂肪を含む溜まった老廃物を効率よく押し流し、血行を促進するための準備体操として、リンパの流れを促すマッサージから始める。ひとさし指、中指、薬指の3本を耳の前にあてる。

リンパに流す

準備体操として初めに行いたいのが、リンパの流れをよくするマッサージ。リンパ腺の上をなぞるように指を滑らせていきます。こめかみ下からスタートし、首筋で止めず、鎖骨まで滑らせること。

2

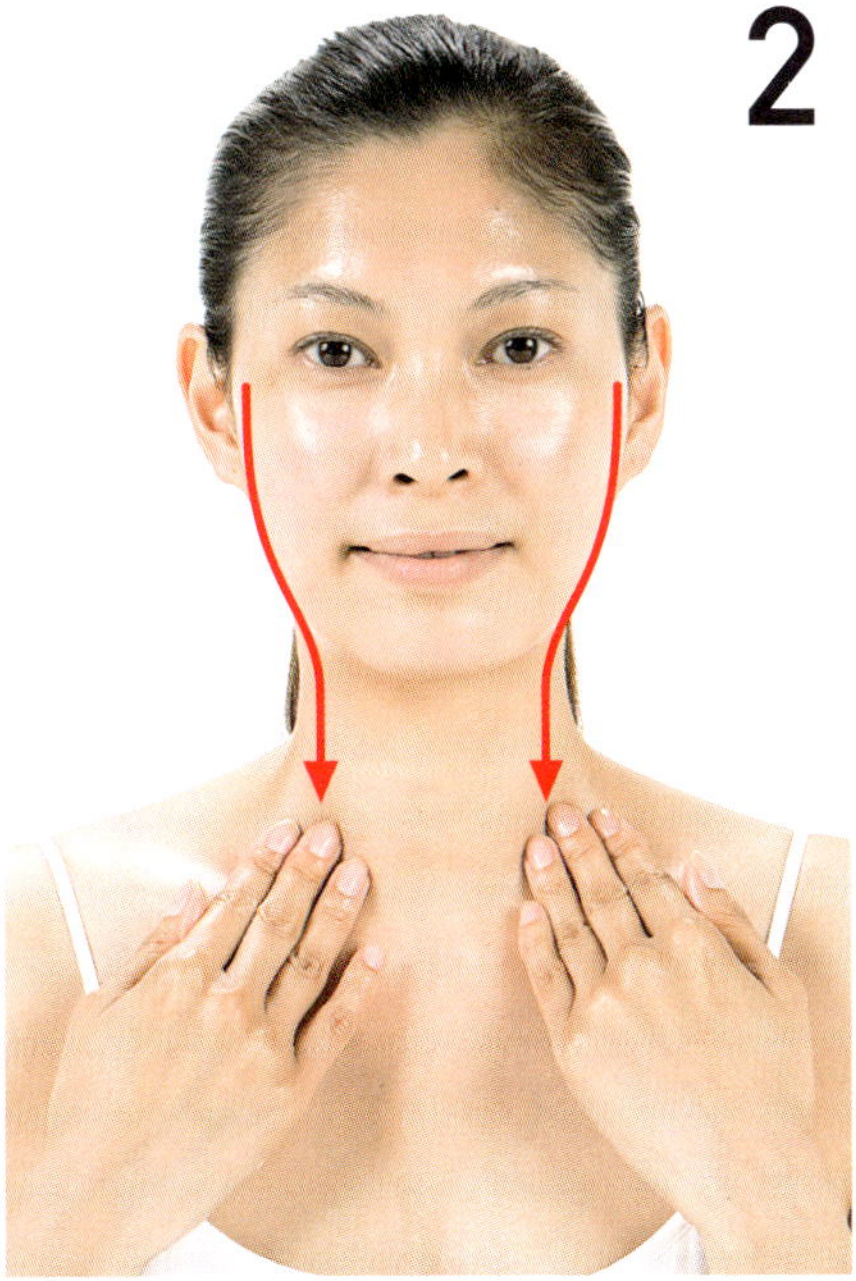

2
3本の指全体で圧力をかけながらゆっくりと耳の前を通り、首筋から鎖骨まで指を動かす。痛みを感じる場合は圧力を弱め、ソフトタッチで。これを3回繰り返す。

Step: 1

額のむくみを取り、眉間のシワを改善する

額も目や頬と同じようにむくんだり、凝っている。このマッサージで横、縦のシワを伸ばし、凹凸のないすっきりとしたフラットな透明感ある額に整えていく。

1

1
額の中央にひとさし指、中指、薬指の3本を置く。

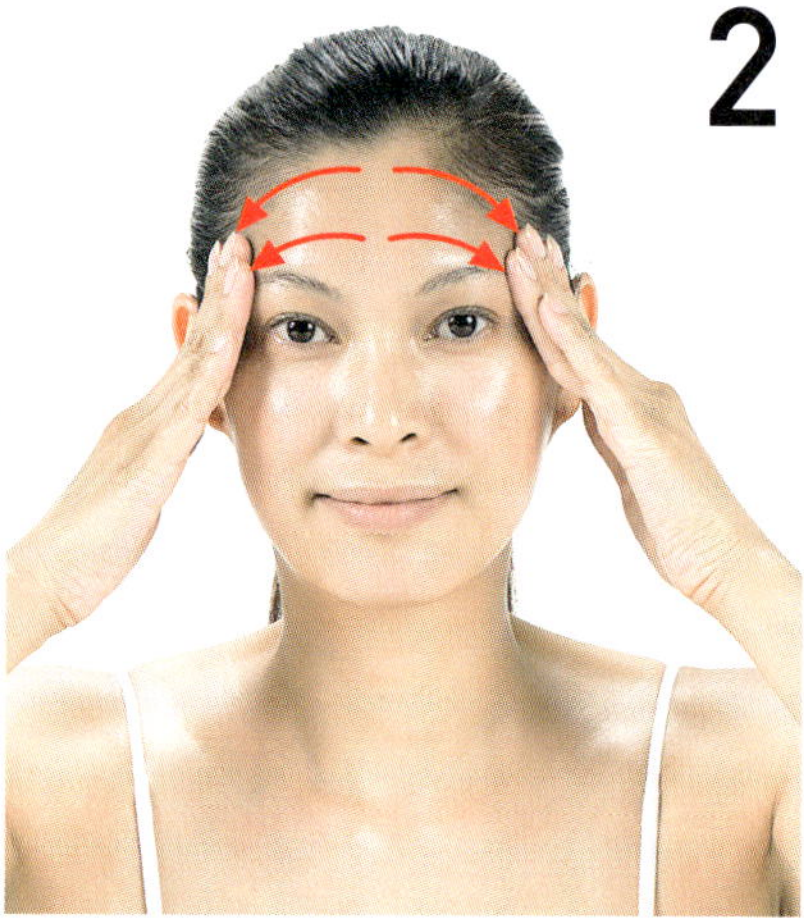

2

2
指の第2関節まで使い圧力をかけ、軽くプッシュしてこめかみ方向へと指を動かしていく。

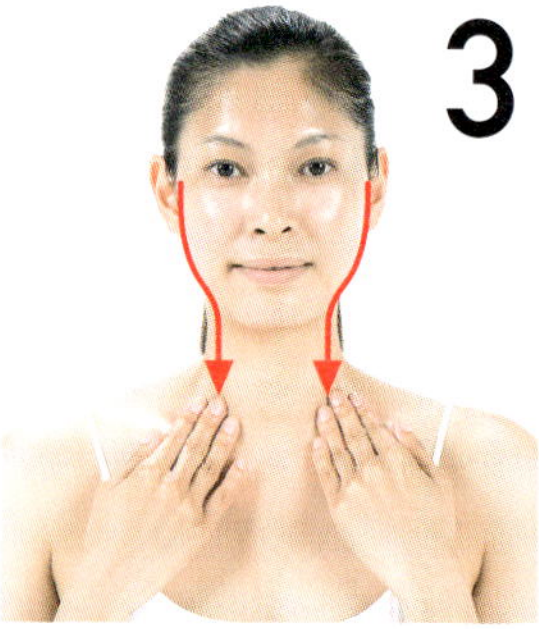

3

リンパに流す

3
こめかみの下から圧力を少しかけ、耳の前を通り、首筋から鎖骨まで指を滑らす。1〜3の動作を3回繰り返す。

Step: 2

目の周りの循環を高め むくみ、クマを取る。 目もひと回り大きく

目の周りに溜まった老廃物を押し流し、血行を促すことでむくみが取れ、クマも改善される。とくにはれまぶたの人に効果的。また、目元がすっきりすることで、目がひと回り大きくなる。ただしデリケートゾーンのためソフトタッチが基本。

1

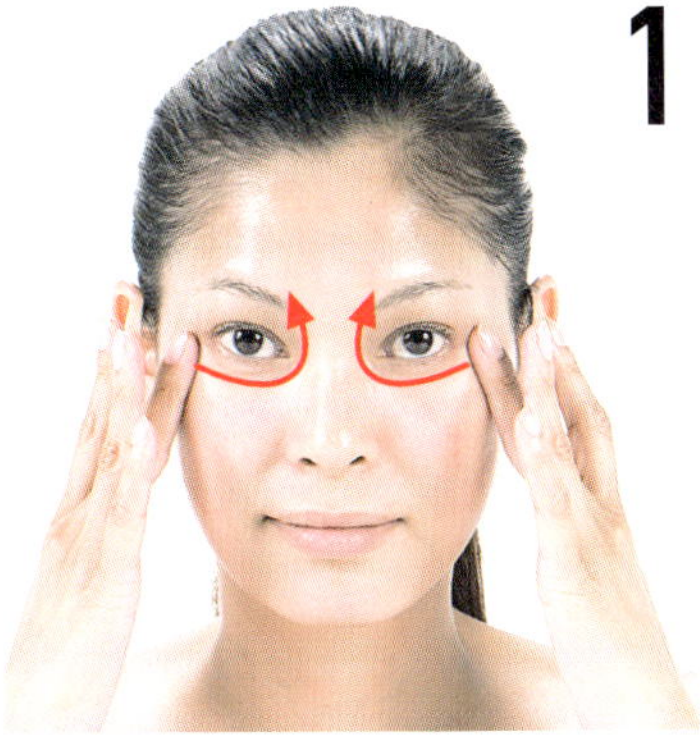

1
中指の腹を目尻にあてる。下まぶたに沿って目頭まで動かし、鼻筋を通る。

2

2
そのまま眉頭の下の骨のところを軽くプッシュ。眉下の骨に沿って目尻方向へ動かす。

3

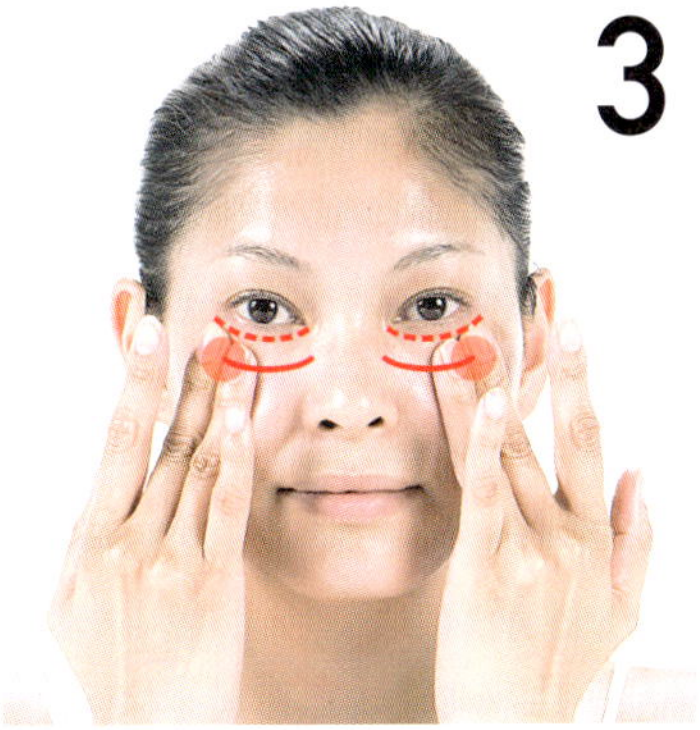

3
もう一度下まぶたを通り、目頭まできたら目尻へ戻り、ここで軽くプッシュ。

4

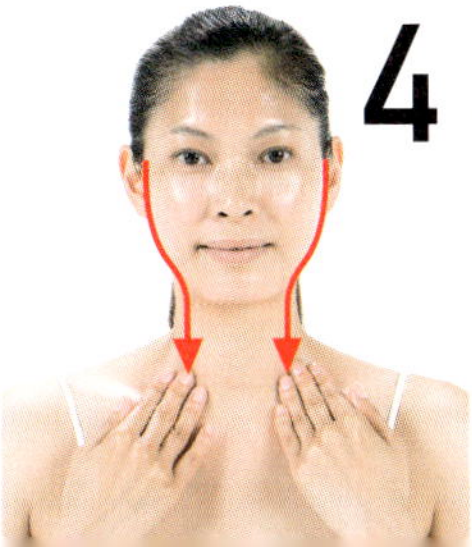

リンパに流す

4
そのまま真横に行き、圧力を少しかけ、耳の前を通り、首筋から鎖骨まで指を滑らせる。1～4の動作を3回繰り返す。

Step: 3

口周りの筋肉を鍛え、下がり口角を引き上げ若い口元へ

口元の老けを印象づける下がり口角を、キュッと上向きに改善するマッサージ。加齢により唇周りにできる小ジワを解消するのにも効果的。また、歯茎に届くよう指で圧力をかけることで、歯周病予防にもつながる。

1

1
アゴの中央に中指と薬指をあて、指の腹で歯ぐきに届くほど圧力をかけながら口角の横を通り、鼻の下へ。

2

2
鼻の下で強めにプッシュ。歯茎に圧力が伝わるようにゆっくりと押す。1～2を3回繰り返す。

Step: 4

小鼻の汚れを浮き出させ、鼻筋を高く。中高い顔へと〝造顔〟

洗顔では取り除けない、小鼻の毛穴の奥に溜まった汚れを浮き出させ、黒ずみ毛穴を解消。そして頬のたるみで埋もれ、曖昧になってきた鼻の筋肉を強化し、鼻筋の通った中高い美人顔へ。

1

1
小鼻の溝に中指の腹をあて、軽く圧力をかけながら上下に指を動かし、黒ずみ毛穴の奥に溜まった汚れを押し出す。これを5回繰り返す。

2

2
中指と薬指の腹を小鼻の横に置き、圧力をかけながら鼻筋に向かって〝ハの字〟を描くように、上下に指を動かす。これを3回繰り返す。

3

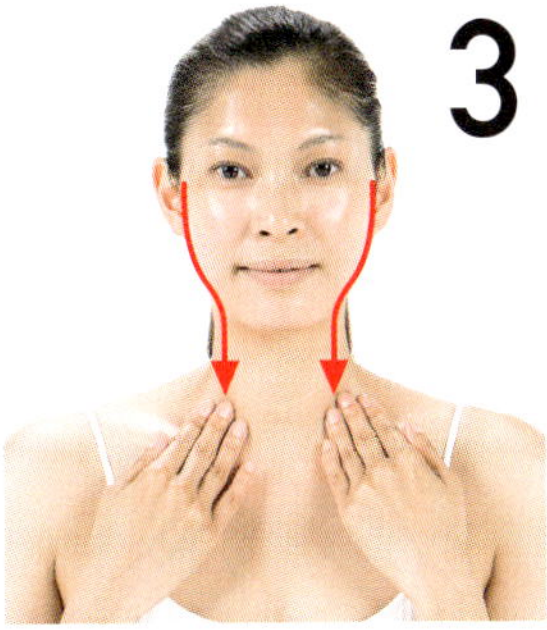

リンパに流す

3
目頭から目の下を通り、耳の前から、首筋、鎖骨まで指を滑らせる。

Step:5

深く刻まれたほうれい線を消し、頬全体をリフトアップ

小鼻横から口角に向かってできる表情ジワの上に、脂肪やたるんだ皮膚がかぶさるためできる、ほうれい線。圧力をかけながらマッサージすることで脂肪を散らし頬の肉やたるんだ皮膚をリフトアップ。

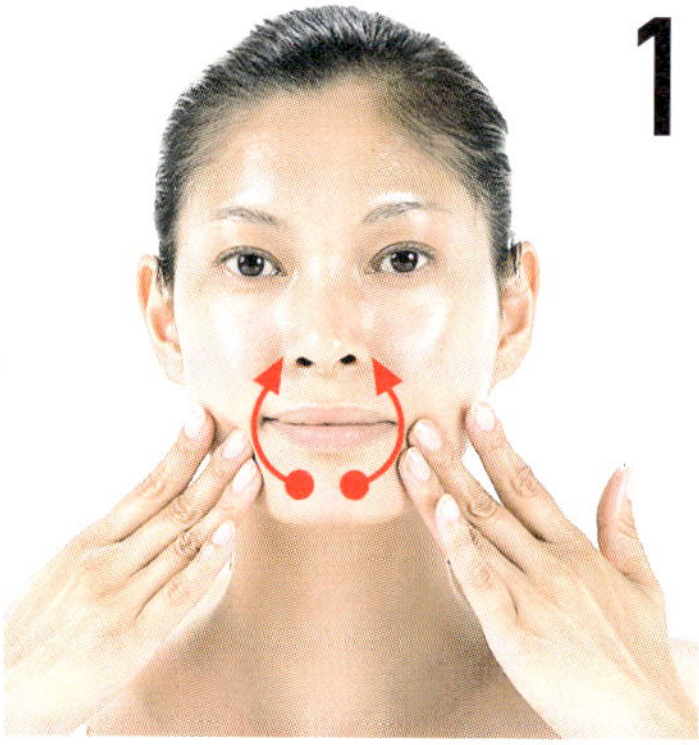

1

1
アゴの中央に中指と薬指の腹をあてる。指の腹で強く圧力をかけ続けながら、口角の横を通り、小鼻の横へ。

2

2
そのまま圧力をかけながら、目頭の方へ指を押し上げていく。

3

3
目頭下で３秒間、強くプッシュ。上に溜まった脂肪を下に落とさないように注意する。

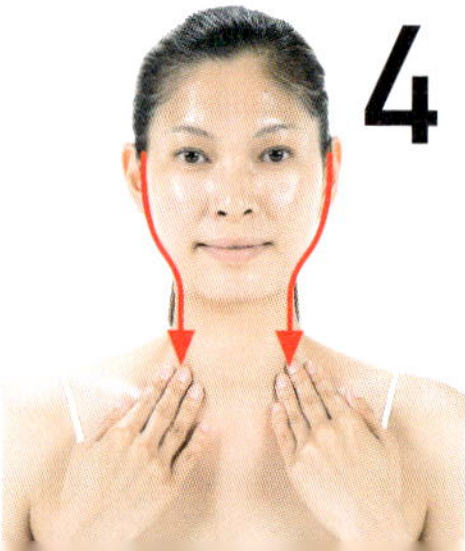

4

リンパに流す

4
力を少し抜いて指を真横に動かし、耳の前を通って、首筋から鎖骨まで指を滑らせる。１〜４を３回繰り返す。

Step: 6

頬のたるみを引き上げ、ほうれい線を集中的に取る

Step5だけでは消えない、深く刻まれた頑固なほうれい線を改善するマッサージ。小鼻横に溜まった脂肪の塊を強力に散らし、たるんだ頬の余分な脂肪に圧力をかけて取る。力がなく圧力を強くかけられない人は両手を使い片頬ずつ行う。

1

1
右手で顔をささえ、左手の親指を除く4本の指をアゴ横にあてる。

2

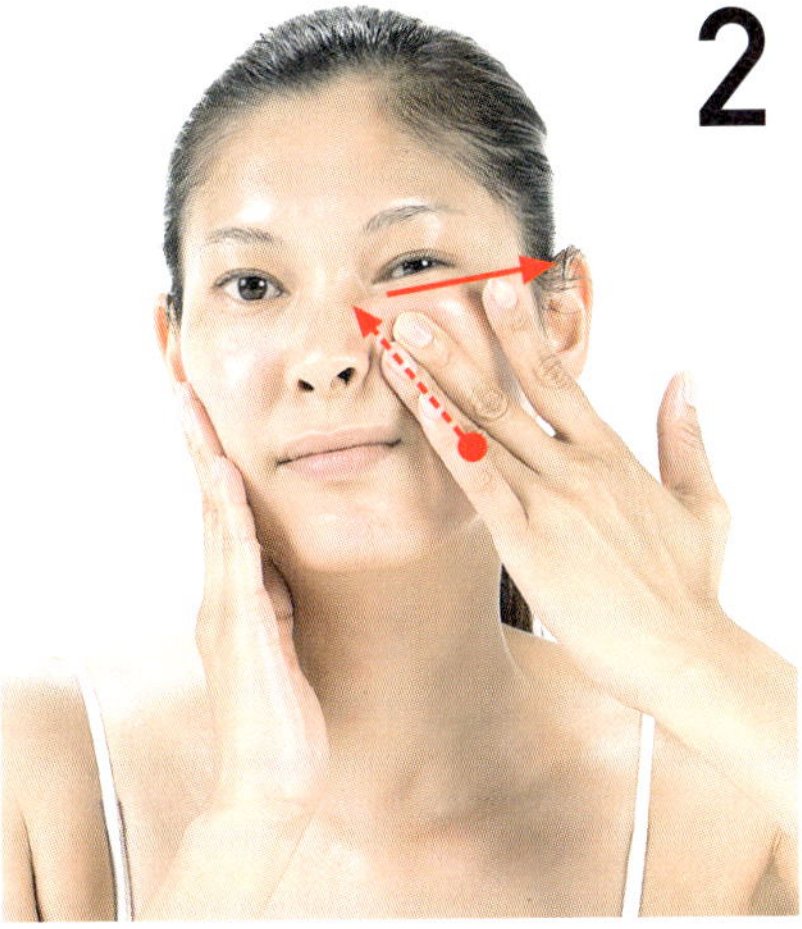

2
指全体で圧力をかけながら、頬の肉すべてを目頭に向かって押し上げ、目頭下で3秒間強くプッシュ。このとき力がない人は左手の上に右手を重ね、強く押す。そして力を弱め、真横に指を滑らせる。片頬ずつ。

3

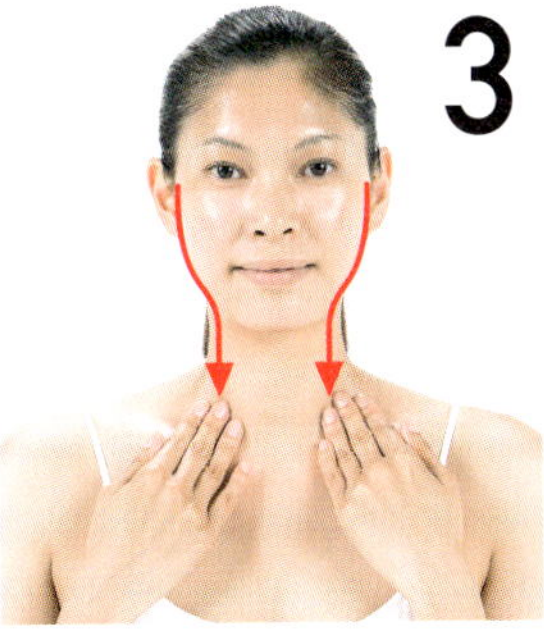

リンパに流す

3
耳の前を通り、首筋から鎖骨まで指を滑らせる。1～3を3回繰り返す。

1・2 Step: 7

小鼻横の脂肪を取りほうれい線を作らせない

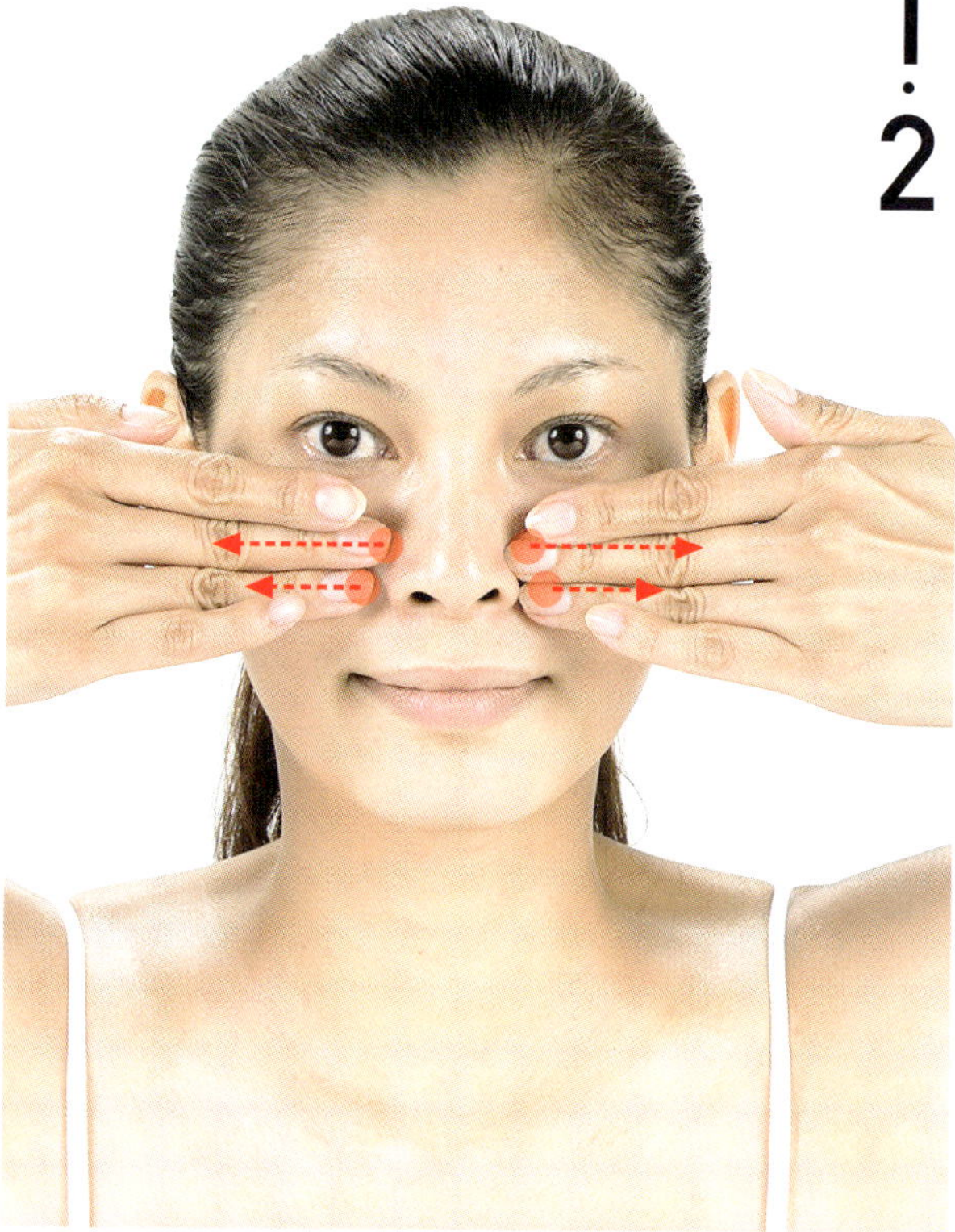

1 まず両肘を横に張る。ほうれい線の始まり位置である小鼻横に薬指、中指の腹をあて、ひとさし指を添える。指の腹で圧力をかけ、強くプッシュ。

2 少し力を弱め真横へ滑らせる。

頬骨と小鼻横に溜まった脂肪を落としていくマッサージ。ここに脂肪があるとほうれい線を作る原因になる。またこのマッサージはたるんだ肌をピンと張らせる効果も。圧力を強くかける力がない人は壁や柱に寄りかかると行いやすい。

リンパに流す

3

両肘を下ろし、耳の前を通り、首筋から鎖骨まで指を滑らせる。1〜3を3回繰り返す。

3

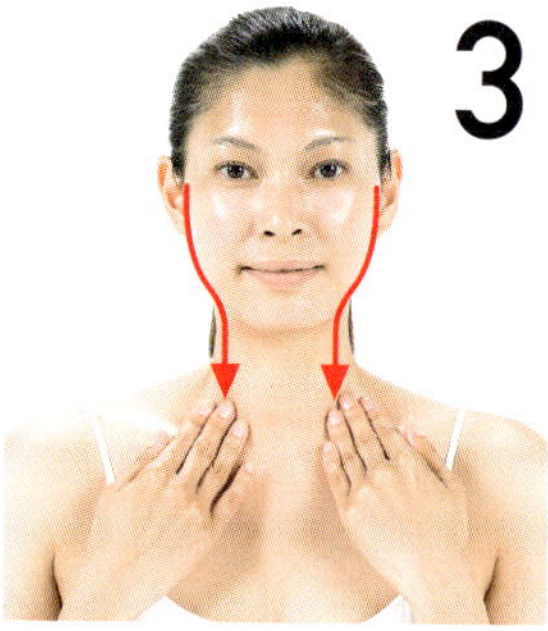

Step: 8-1

頬骨の下からアゴ先までのたるみを一気に解消し、小顔に

年齢を重ねるほど顔の横幅が広がり、輪郭がもったりした下ぶくれ顔や、エラの張った顔に。これらを改善し10年前の小顔に戻すため、頬骨下からアゴまでに溜まった脂肪をほぐし、硬直した筋肉を柔軟にする。頬骨が驚くほど高く出てくる。

1

1
親指のつけ根のふっくらした部分を小鼻と頬骨の間にぐっと頬骨を押し上げるように強く圧力をかける。

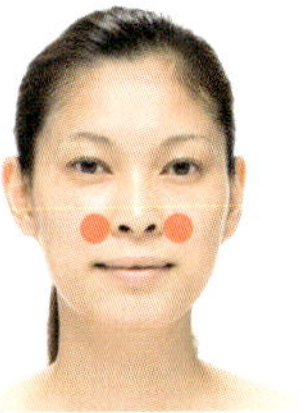

手をあてる位置は小鼻の横。

2

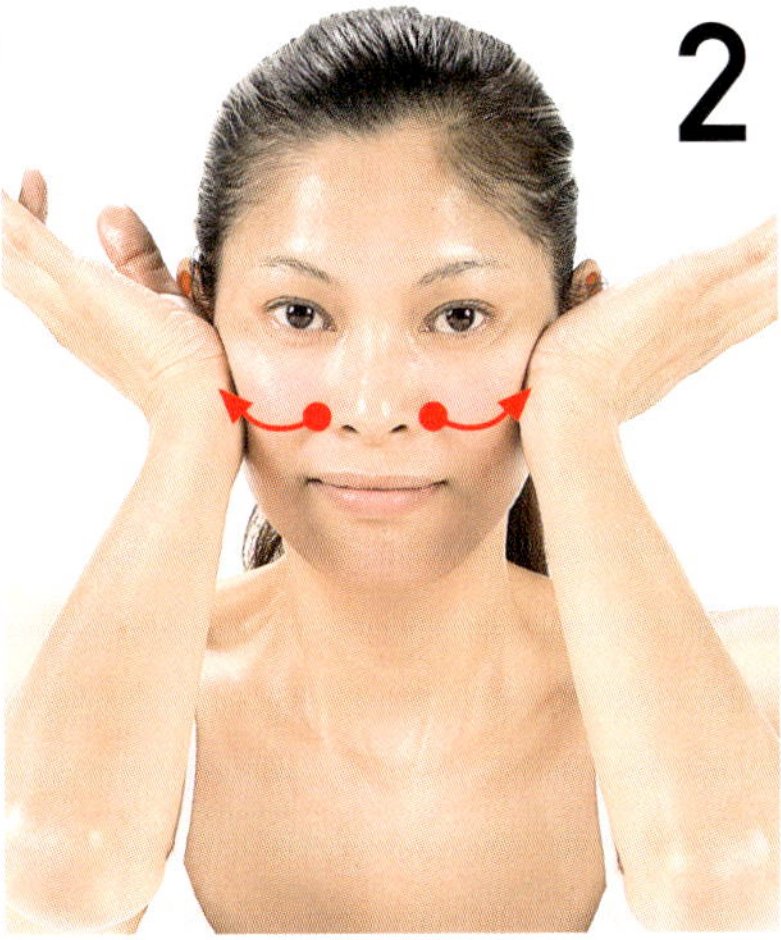

2
圧力をかけ続けながら、そのまま頬骨にそって真横に手を滑らせていく。

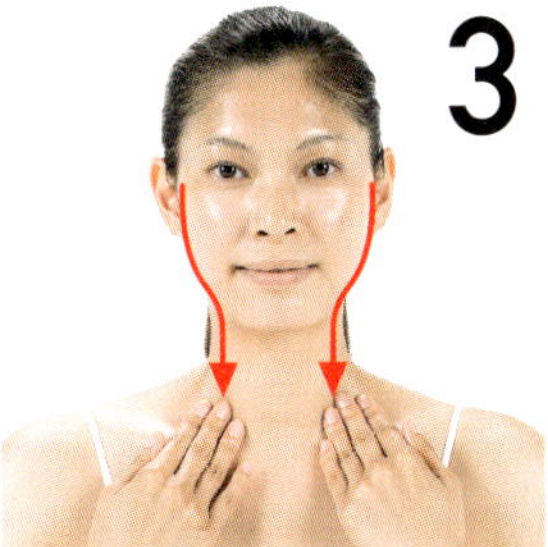

3 リンパに流す

3
耳の横まできたら少し力をゆるめ、アゴを少し上げ、耳の前を通り、首筋から鎖骨まで手を滑らせていく。
1～3までを3回繰り返す。

Step: 8-2

口角からアゴに走るもったりとしたブルドッグラインを消す

口元の老けをさらに強調させるのが、口角下からアゴに向かってできる、たるんだ皮膚が作るブルドッグライン。口角の横のたるんだ皮膚がリフトし、ブルドッグラインが消え、アゴのラインまでもシャープになってくる。

1

1
親指のつけ根のふっくらした部分を口角横にあて、強く圧力をかける。

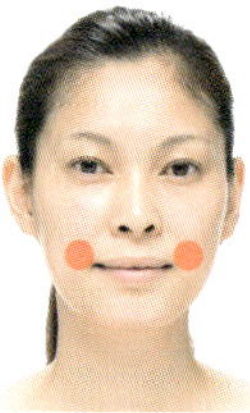

手をあてる位置は口角の横。

2

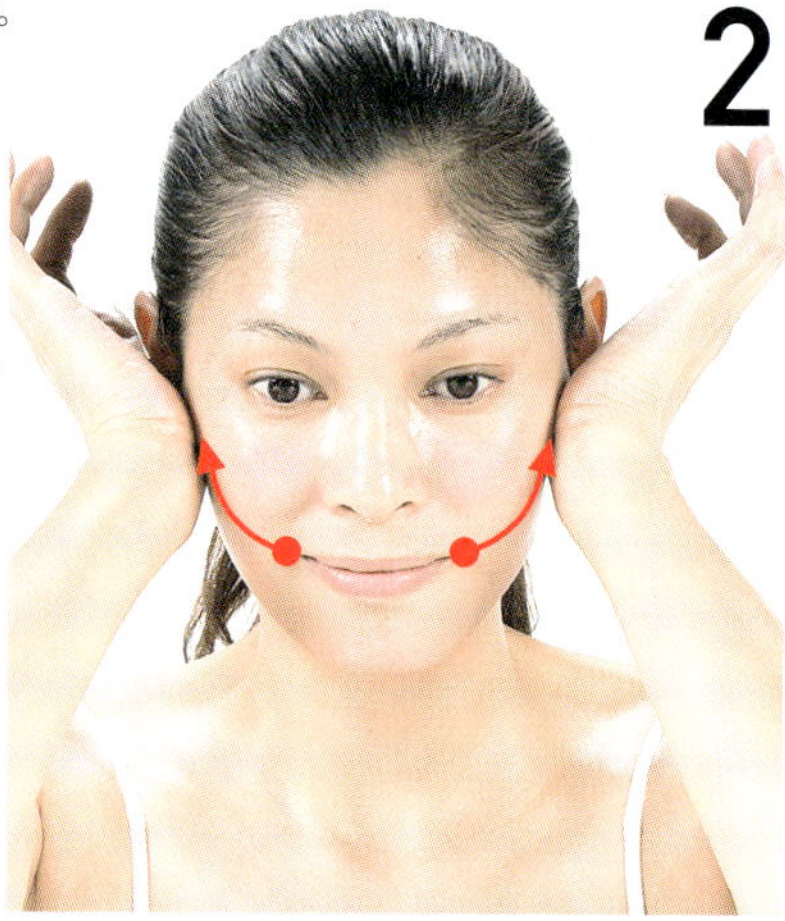

2
そのまま頬の筋肉を耳前方向の斜め上へ持ち上げる。

3 リンパに流す

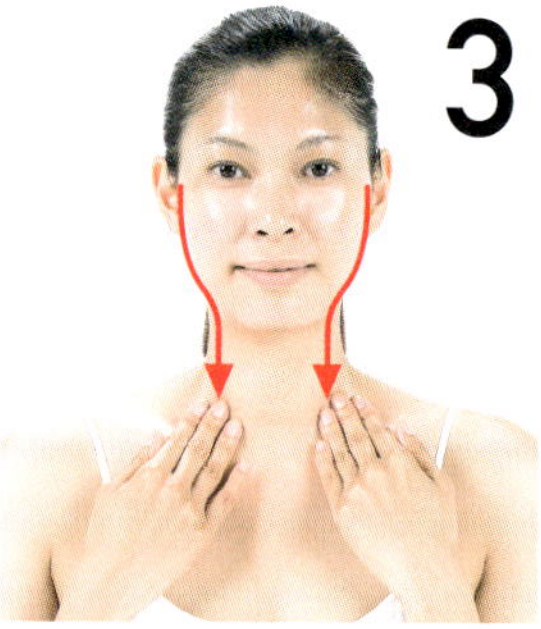

3
耳の横まできたら少し力をゆるめ、アゴを少し上げ、耳の前を通り、首筋から鎖骨まで手を滑らせる。1～3まで3回繰り返す。

Step: 9

二重アゴ、曖昧なフェースラインを引き締め輪郭をシャープに

太っている痩せているに関係なく、年齢とともに顔全体のたるみが下に集まってくる。その結果、アゴから耳にかけてのフェースラインがもったりし、二重アゴに。このマッサージでアゴ先から耳下までの余分な脂肪をすべて取り除く。

1

1
手のひらを上にして、親指のつけ根をアゴ下の中央に密着させる。

2

2
圧力をかけ、アゴの輪郭に沿って脂肪を押し上げながら、親指のつけ根が耳の後ろにくるまで引き上げる。片手ずつ。

3

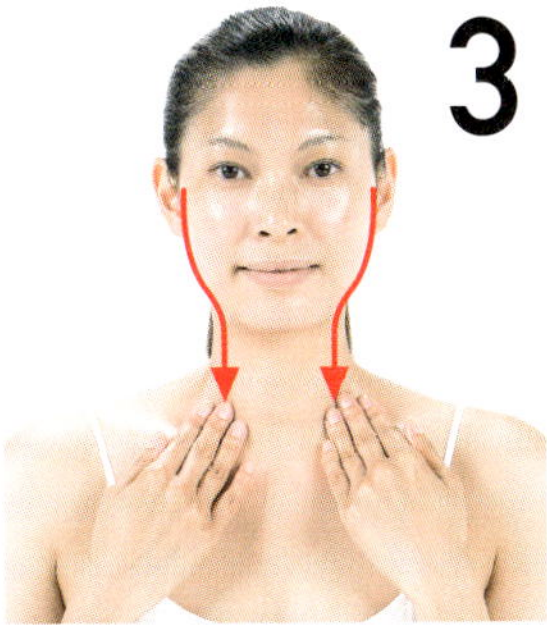

リンパに流す

3
首筋から鎖骨まで手を滑らせる。1～3まで左右とも片手ずつ3回繰り返す。

Step: 10

顔全体のたるみをフェースラインへ押し出し、すべて引き上げる

頬からアゴ下までに溜まったすべての脂肪を一気に引き上げるマッサージ。ポイントは、肌と指の側面をぴったりと密着させ、隙間を作らずに圧力をかけること。頬全体の凝りがほぐれるばかりか、顔が引き締まってくる。

1

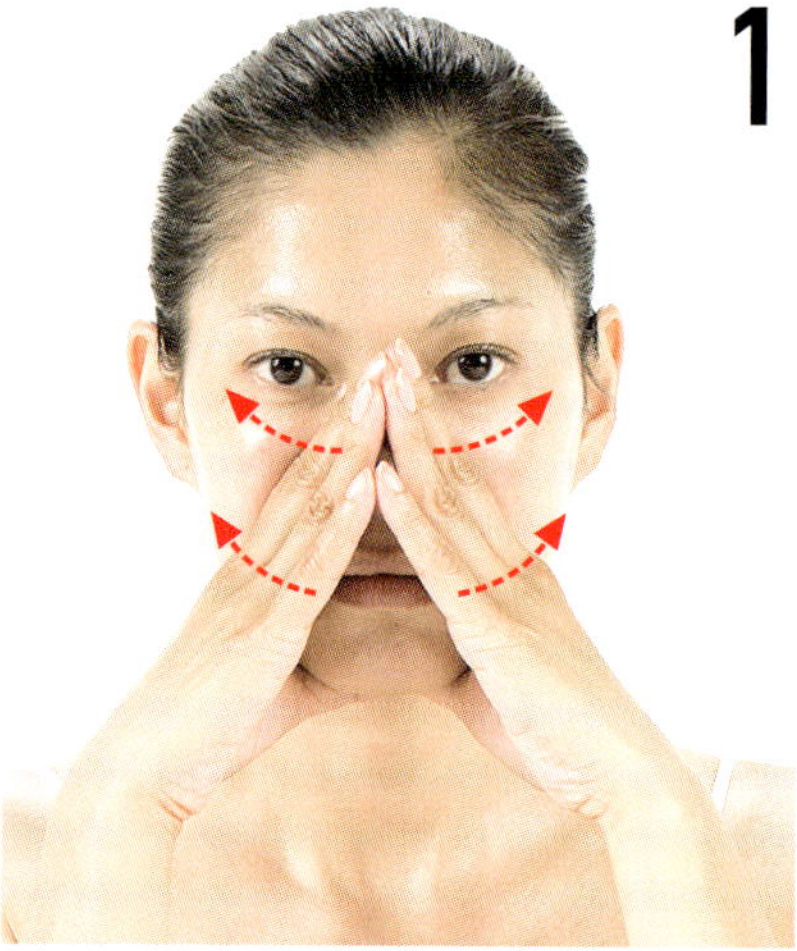

1
両親指をアゴの下中央に、両手で鼻を包み込む。"ヤッホー"のときのポーズに。

2

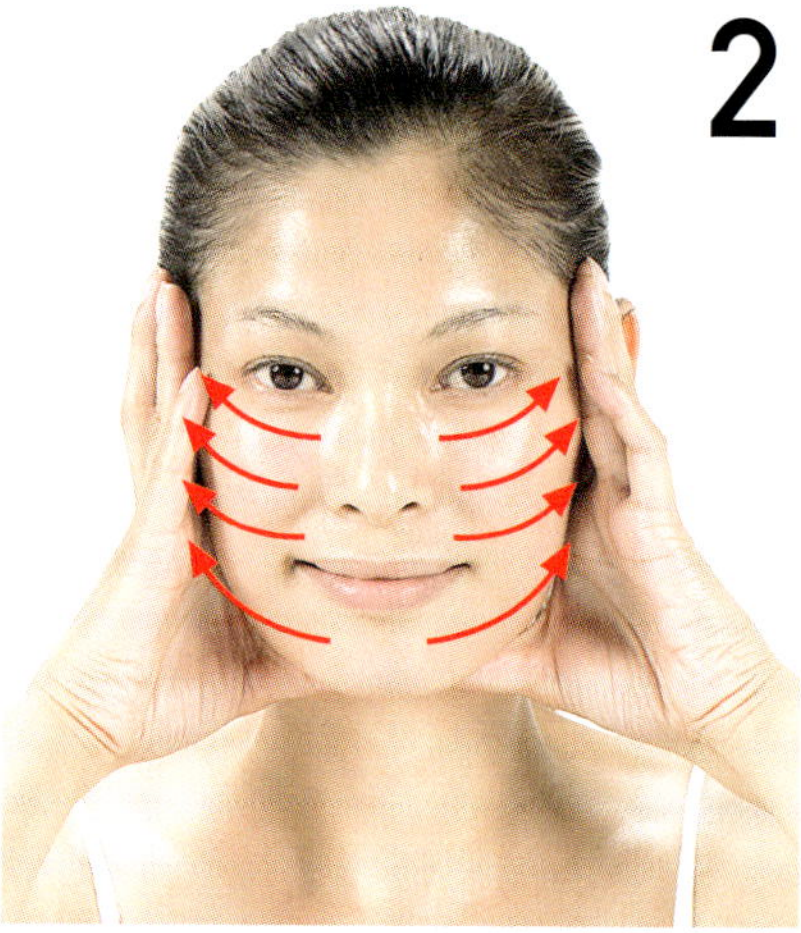

2
親指とひとさし指の側面をぴたりと肌に密着させ、隙間を作らないよう注意しながら両指で圧力をかけ、耳に向かってゆっくり左右に開く。顔全体の脂肪をフェースラインへ押し出すようなつもりで耳前まで滑らせる。

3

リンパに流す

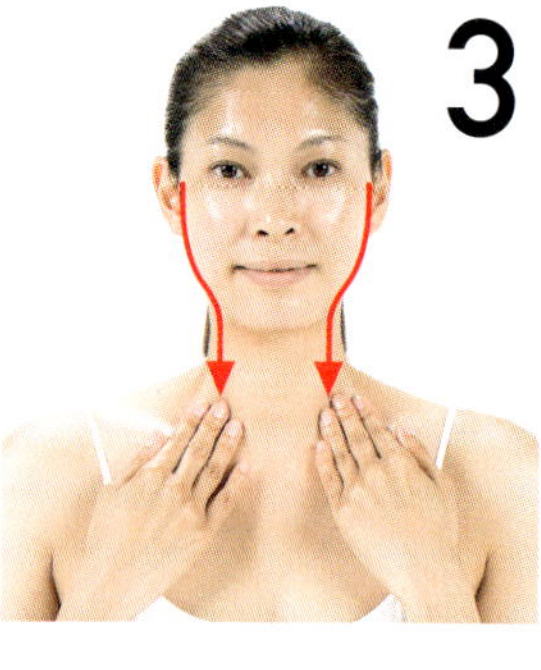

3
耳の前を通り、アゴを少し上げ、首筋から鎖骨まで手を滑らせていく。1～3まで3回繰り返す。

1・2

Step: 11

額の横ジワを取り、シワの記憶をつけさせない

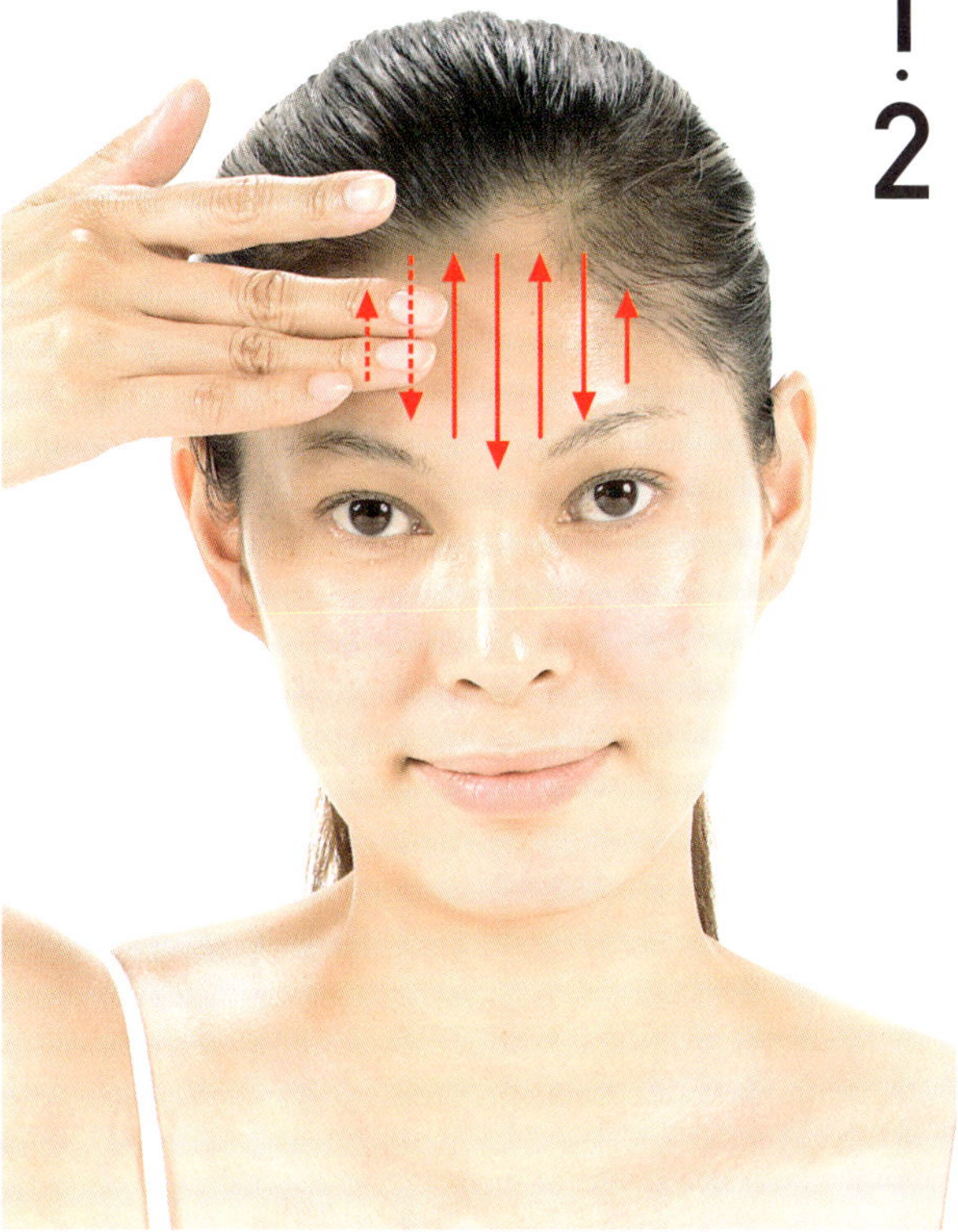

1 額の中央に中指と薬指の第2関節までをあてる。
2 指を上下に動かしながら、眉上から髪の生え際まで、額全体を右から左、左から右へとマッサージ。

額全体を2本の指で上下にマッサージすることでシワを消し、顔全体の血行をより促進させ、脂肪や老廃物をリンパへスムーズに流していく。肌は健康的な明るさを取り戻し、透明感も高まる。注意したいのは、両手で行うとシワができるので、必ず片手で行うこと。

リンパに流す

3

両指を額の中央からこめかみへ動かし、耳の前を通り、首筋から鎖骨まで指を滑らせる。

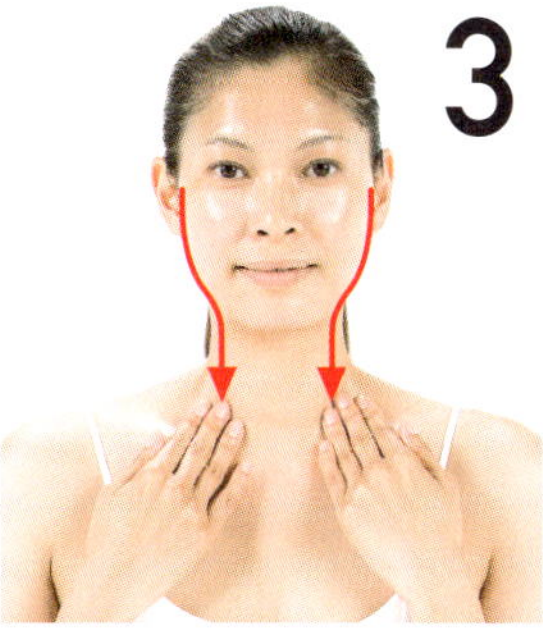

14.8V
-3dB
1C
DC 14.9V

造顔マッサージの前後を比較

わずか3分のマッサージで
顔立ちが変わり、肌の質感も若く美しくなる。
その手ごたえを全方位から検証します。

の前後を比較

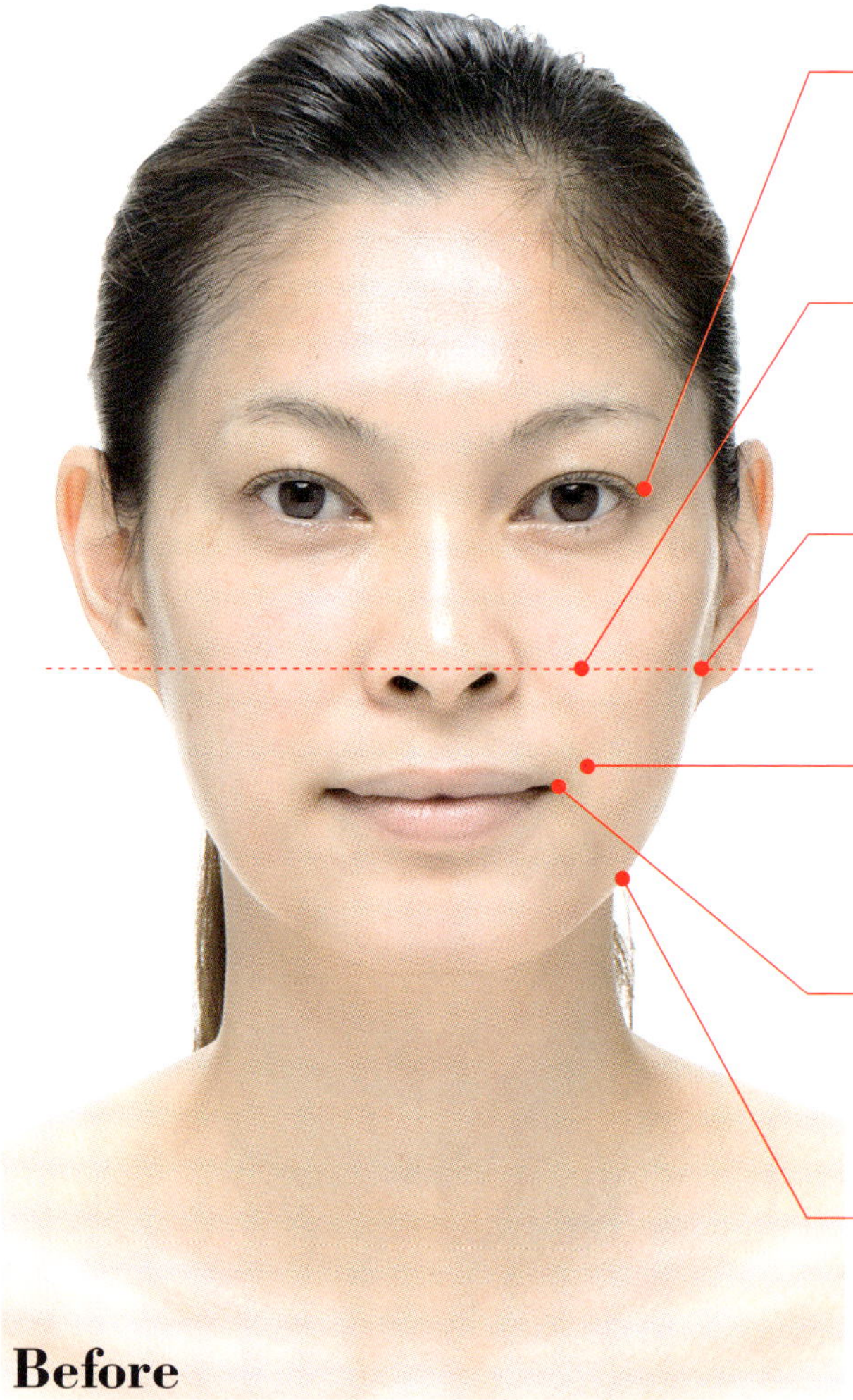

目尻の位置

むくみやたるみの影響で、目尻にまぶたの肉が被さり、目尻が下がってきた。

頬骨の位置

頬骨の位置は重力や加齢で変化はしないけれど、骨の上に乗っかっている頬の脂肪が増加し、下がることで、頬の位置が下降して見える。

横幅

リンパがとどこおるのがこの位置。頬の脂肪が下がり、小鼻横に集まってくる。その結果、横幅が広いもったりとした老けた印象に。

ほうれい線

小鼻横から口角に向かってできる表情ジワの上に、脂肪やたるんだ皮膚が乗っかり、ほうれい線が刻まれている。

口角の下がり

頬や小鼻横の脂肪やたるんだ皮膚の影響で、口角が下がってくる。

アゴのたるみ

痩せていても加齢により二重アゴになりやすい。またアゴ先周りだけでなく、首との境界周りにも余分な脂肪がつきもったりしやすい。

顔の輪郭、肌質など明らかな変化を実感

造顔マッサージ

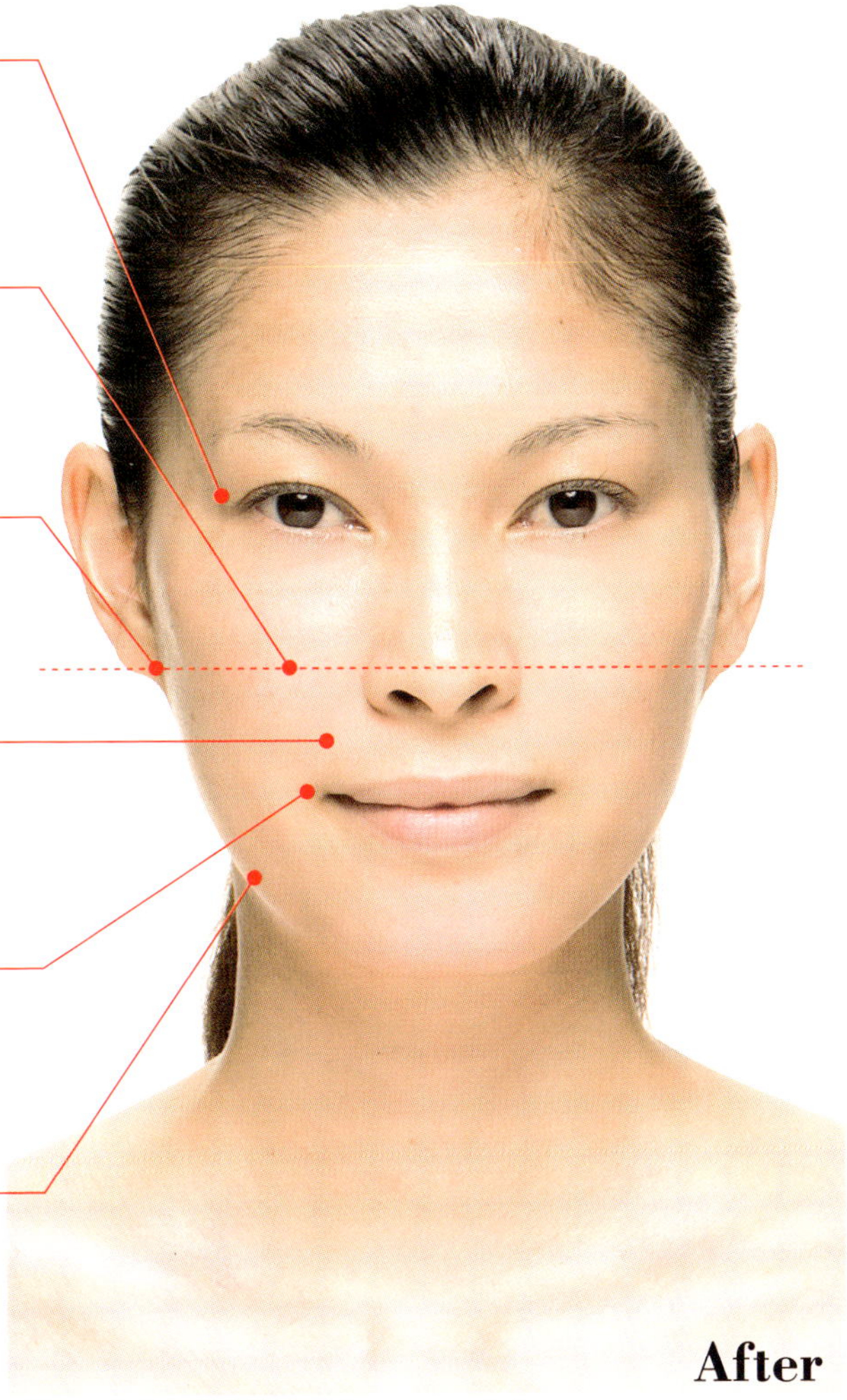

目尻の位置

まぶたのむくみが消え、目元がすっきりすることで、目尻も上がってくる。またクマが軽減し、目元周りのくすみが消えた。

頬骨の位置

頬骨下に溜まっていた脂肪の塊をマッサージで散らすことで、埋もれていた頬骨が現れた。頬の位置が高く映り、顔の重心も上がった。

横幅

頬骨下、小鼻横の余分な脂肪がなくなり、フェースラインが引き締まった。しかも血行が促進され肌の明るさ、透明感もアップ。

ほうれい線

年齢を問わず、だれにでもある表情ジワのレベルにまで改善。小鼻の開きも締まり、鼻筋の通ったスマートな印象に。

口角の下がり

頬、小鼻横の脂肪の塊が散ったことで、口角も上向きに。口角周りの黒ずみも改善され、引き締まった口元へ。

アゴのたるみ

アゴは細くシャープなラインに変化。マッサージ前のもったり顔が細面の理想の顔型に整った。

正面顔だけでなく、「顔のマチ」横顔も若い

正面から見た顔以上に老けを印象づけるのが、他人の目に無防備にさらされることが多い、「顔のマチ」横顔である。とくに斜め横から見られる顔は、頬のたるみやほうれい線が強調される角度。だから『造顔マッサージ』を行う前後で、老けの欠点が露骨に現れる斜め横の顔も比較してみました。

最初に驚かされるのは、アゴ先から耳横までのフェースライン。痩せていてもフェースラインがたるみでもったりしやすいけれど、マッサージ後はフェースラインがくっきりと際立ち、アゴと首の境界線にシャープさが戻ってきました。

ほうれい線も消え、口角も上向き。余分な脂肪とたるんだ皮膚で埋もれていた頬骨のラインがはっきりと出てきたことで、斜め横から見てもかなり小顔に変化。骨格がしっかり見て取れ、鼻筋も高くなり、理想的な横顔美人になりました。

これだけの変化が自分の手で簡単に、たった3分で叶えられるから『造顔マッサージ』はおもしろい。結果がすぐに出るから続けられるのです。

そして肌からくすみが消え、明るさやツヤ、透明感が出てきます。肌を摩擦するのではなく圧力をかけるこの手法だからこそ、メイクを邪魔する赤みが肌に現れません。しかもたるみで開いた毛穴までも小さく引き締まり、ベースメイクを塗り重ねて隠す必要がなくなるほど、肌

質が向上するのが『造顔マッサージ』。余分な脂肪が消え、皮膚のハリが甦るその変化は、まさに〝10年前の顔に戻った〟と実感できるはずです。

朝晩、あるいは朝メイク前にこのマッサージを行えば、この効果は時間が経つほどに高まっていく。つまり午後から疲れ顔になる心配もなく、一日中、10年前の若い顔をキープできるわけです。

痩せていてももったりするフェースライン

横顔でもっとも気になるのがアゴ先から耳横までのフェースライン。たるみによって輪郭が曖昧になり、もったりとした老けた印象。アゴと首の境界周りにも余分な脂肪が溜まるため首が太く見え、顔の下ぶくれ感も気になります。また、ほうれい線もこの角度だとより強調されて見えます。

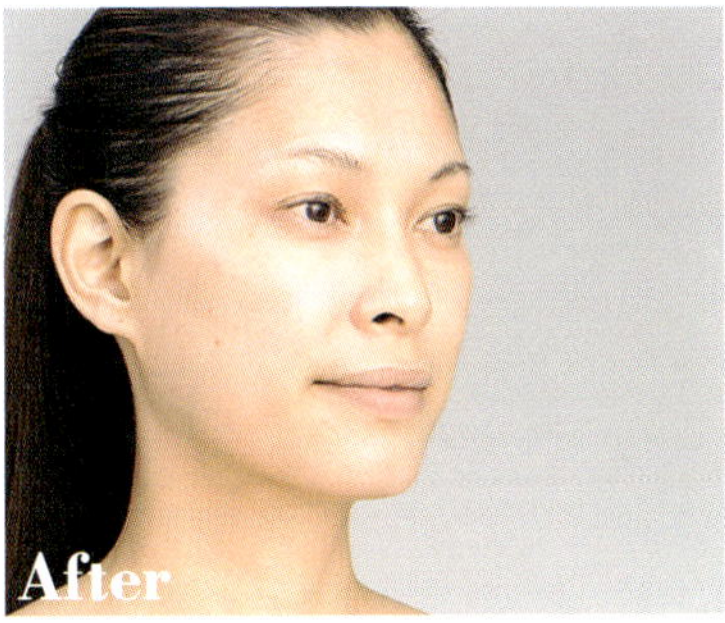

顔全体が引き締まり、シャープな顔立ちに

アゴ先から耳横までのフェースラインが引き締まり、シャープな輪郭に整いました。アゴと首の境界線もすっきりとし、横顔の美しさが際立ちます。脂肪とたるんだ皮膚で埋もれていた頬骨のラインも現れだし、横から見ても顔の重心が高くなったことがわかります。ほうれい線も表情ジワのレベルまで改善。

目の輝きまでも変わった！

読者モデルにも大きな効果

まさに10年前の顔に戻った！　と驚くほどの違いが、写真からも見て取れる、読者モデルの〝造顔マッサージ前〟と〝マッサージ後〟の変身ぶり。その効果をひとつずつ検証していきます。

■顔の輪郭　マッサージ前は頬周りや小鼻横に脂肪がついた、横広がりのやや平面顔。ところがマッサージで余分な脂肪を取り除き、肌のたるみをリフトアップすると、驚くほどシャープな輪郭に変わりました。顔の横幅は狭くなるし、アゴ先が細くスマート。顔がひと回り以上小さくなりました。

■頬　余分な脂肪が取れ、埋もれていた頬骨のラインがくっきりと現れだし、顔の重心が高い位置に変化。鼻筋も通り中高い美人顔。

■口周り　頬のたるみで下がっていた口角が上がり、唇自体もなだらかな曲線に。ほうれい線も消え、若い口元に。

■目元　目尻がリフトアップ。さらにむくみが解消され、目そのものが縦、横長に大きくなり、印象的な強い目。クマも改善され、目元周りが明るい。

たった3分のマッサージで、これほど顔の印象が変わるとは！　〝整形並みの威力〟は決して大げさではないのです。

顔立ちの変化に加え、もうひとつ注目してほしいのが、肌の輝き。血行が悪くくすみがちだったのが、マッサージ効果で循環がよくなり、透明感をたたえた明るいハリのある肌に。肌感だけを見ても確実に、10年前の若さを取り戻しています。

頬の脂肪が下がり、横広がりの顔。たるみの影響で頬骨や鼻筋が埋もれ、曖昧になり始めている。目元も全体的にむくみがあり、顔立ちが平面的な印象。笑わなくても消えないほうれい線も気になる。

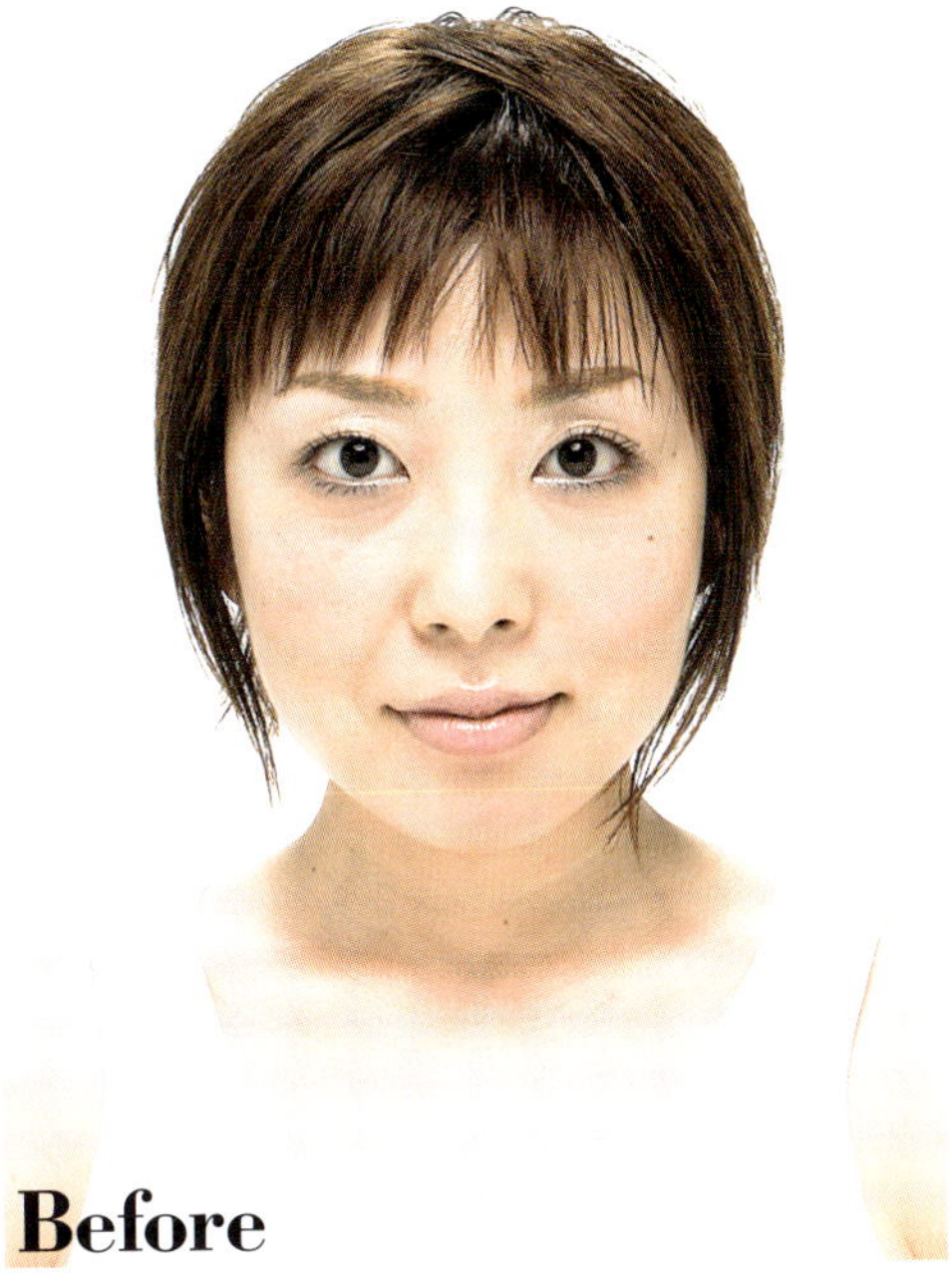

Before

After

頬周りの余分な脂肪が取れ、顔の横幅が狭くなり、小顔に。頬骨、鼻筋が高く現れだし、目も大きくなり、中高くメリハリのある美人顔に変身。アゴのラインも細くなり、顔全体の印象がシャープさを取り戻し、10年前の若い顔に変わった。

造顔マッサージを続ける上でより効果を得るために知っておきたいことQ&A

Q

なぜ各ステップとも〝リンパに流す〟動作が必ずあるのですか？

A

『造顔マッサージ』の動作の中で、最も大切なのが〝リンパに流す〟作業。手や指全体を使い、脂肪の塊を散らして、老廃物とともにリンパに流し、排出させるためです。また、リンパ腺の上を手でなぞることによって、滞っていたリンパの流れを促す効果を高めることができます。

このマッサージの要となるだけに、気をつけたいのはリンパの位置。こめかみ下辺りから耳の前を通り、〝アゴに向かって〟手を滑らせる人が多いけれど、これは間違い。〝耳の前からそのまままっすぐ下〟に滑らせ、首筋を通り、鎖骨まで、がマッサージすべきリンパの正しい位置です。

加えて、どのマッサージステップも手や指はたるみを引き上げるように、下から上に動かすのが鉄則ですが、リンパに流すときだけは重力に逆らわず上から下へ。リンパ腺があるところは他の部分と違い顔のもっとも側面だから、上から下へと手を動かしても皮膚が下がる心配はありません。

ただし、顔のほかの部分のマッサージのように、圧力をかける加減に注意して、痛みを強く感じるほど圧力をかけないこと。マッサージを始めて間もないころは特に痛みを感じやすいので、ソフトタッチで行ってください。そして、なれてきたら徐々に〝イタ気持ちいい〟程度の圧力をかけ、手を滑らせていきます。

また、扁桃腺が弱い人はリンパを刺激しすぎないよう、つねにソフトタッチを心がけてください。

リンパに流す動作でもっとも多いNGが、リンパの位置の間違い。こめかみ下辺りから耳の前を通りそのまま手を"アゴに向かって"滑らせるのはNG。

NG

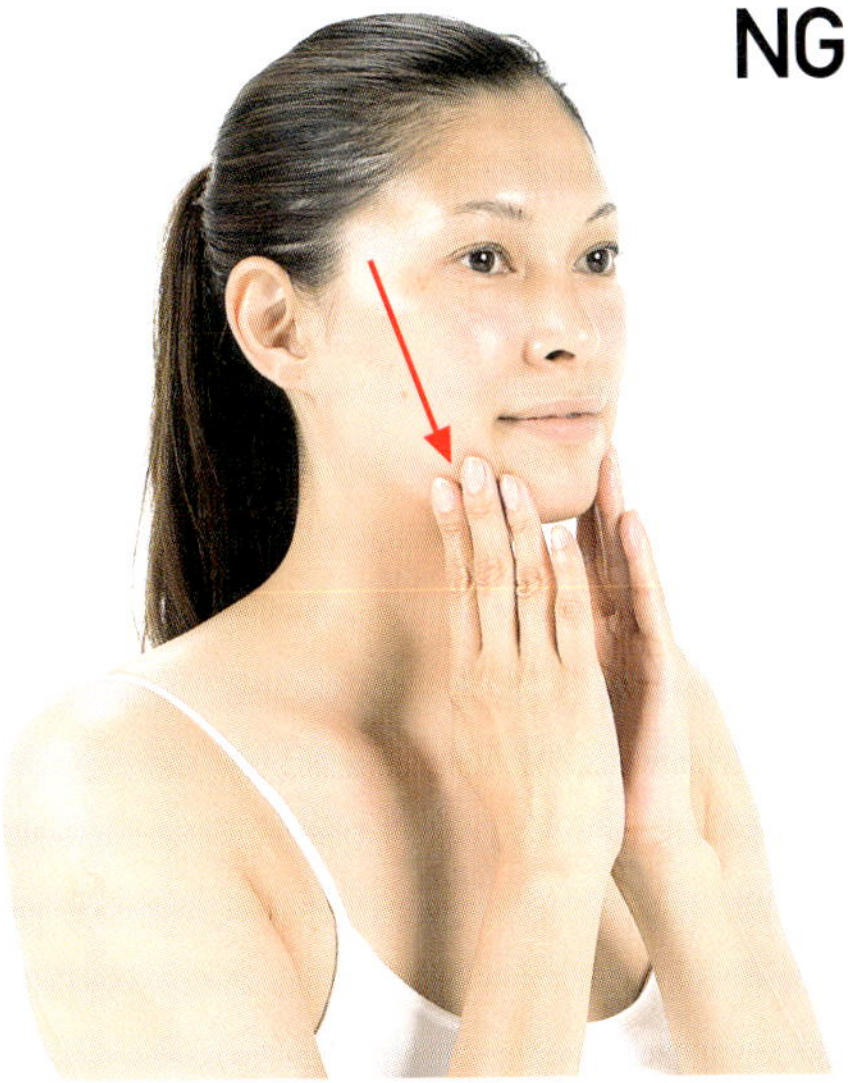

正解

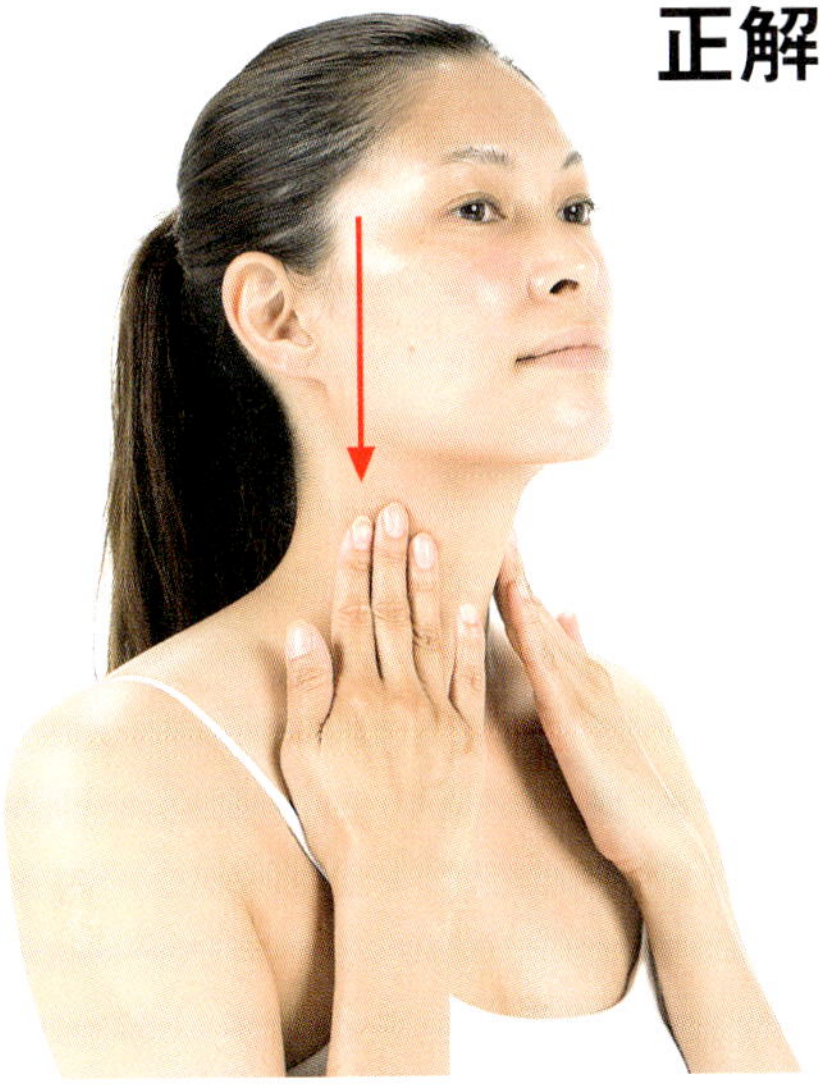

正解は"こめかみ下辺りから耳の前を通り、そのままままっすぐ下へ滑らせる"。また首筋で止めず、鎖骨位置までしっかりと滑らせる。さらに使用する手は指先の腹ではなく、指全体を使用する気持ちで行います。圧力を強くかけすぎないように注意して。

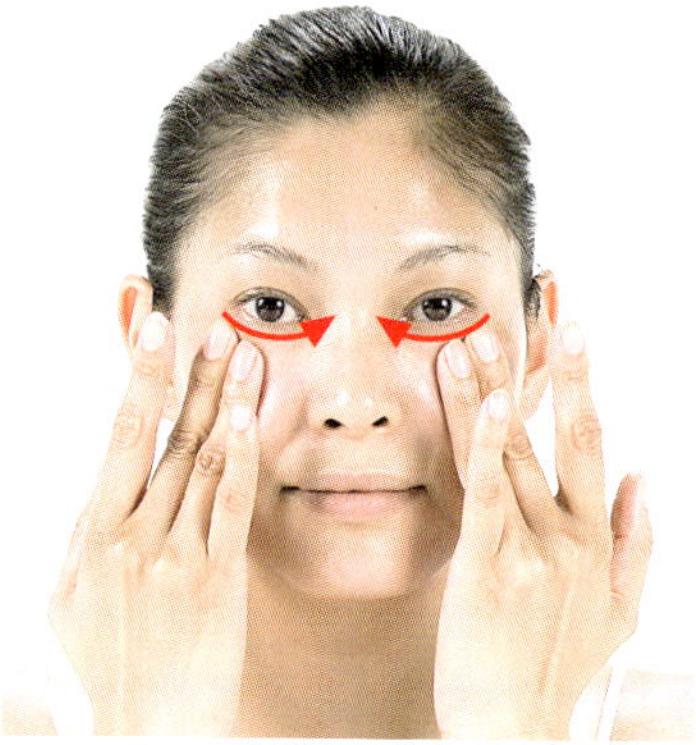

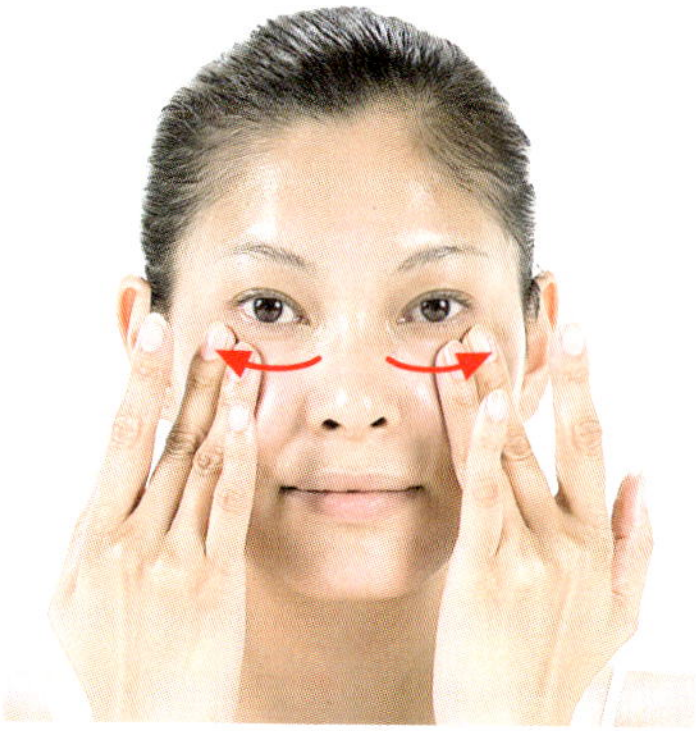

目元のマッサージは、筋肉が走る方向に合わせて指を動かすこと。"目の際辺り"は目尻から目頭方向へ。その下にある"下まぶた"は目頭から目尻方向へ、指を動かします。それぞれ逆方向に指を動かすと、シワを作る原因になるので注意したい。

Q 目元にも圧力をかけてマッサージして大丈夫？

A 目の周りは神経が細かく入り組んでいるし、眼球もあるため、頬周りをマッサージするように強く圧力をかけるのではなく、ソフトタッチが基本です。

もうひとつ気をつけたいのが下まぶたの指を動かす方向。目頭から目尻方向へ指を動かす人がいますが、目の際辺りの筋肉は、目尻から目頭に向かって走っています。それなのに逆方向に指を動かすと、自分でシワを作るようなもの。目周りのマッサージの中の動作に、"目頭から目尻に指を動かす"のがありますが、このときは目の際ではなく、その下にある"下まぶた"をマッサージすること。下まぶたの下の筋肉は目頭から目尻方向に筋肉が走っているからです。アイクリームを塗るときも自分でシワを作らないよう、筋肉の流れに逆らわず、この要領で塗ってください。

Q メイク前にマッサージして肌が赤くなったり、ほてったりしませんか？

A 今まで美容の常識とされてきたマッサージは、力を入れず肌表面をクルクルとなぞるように指を動かすもの。けれど肌が弱い人は、赤くなったりほてったりするはず。その理由は、クルクルとなぞることが肌表面に摩擦を起こしていたからです。

けれど『造顔マッサージ』は、摩擦を起こす、なぞる、さする動作ではなく、肌を強く押す要領で圧力をかけていくので、〝イタ気持ちいい〟感触はあっても、肌に赤みが出る、ほてることなどありません。

もしも赤みが出るならば、それは圧力をかけるポイントが間違っているか、あるいはマッサージクリームの使用量が少ないか、が原因。特にマッサージクリームは、手の滑りをよくするだけでなく、手と肌のクッションの役目も兼ねているのでたっぷり使用すること。

Q 力を入れるため指先で押しながらマッサージしても大丈夫？

A 圧力をかけることと指圧とはまったく別の動作。指圧はピンポイントで肌を押すため、筋肉のエクササイズに効力はありません。『造顔マッサージ』はどの部分であっても、指先で押す指圧ではなく、手のひら全体や指全体の広い面を使って均等に圧力をかけるマッサージ。リンパに流すときも指先は絶対に使用しないでください。

力が入らない人は、壁によりかかって行うと圧力をかけやすくなります。

加えて、顎関節症の人はアゴ周りに強い刺激を与えないよう注意すること。専門医に診てもらってからマッサージを行うことを薦めます。

このDVDの使い方

本DVDでご紹介する「造顔マッサージ」は、「造顔マッサージ　全体の流れ～田中宥久子がレクチャー～」と「造顔マッサージ　実践編～ご自分の手で行う～」(モデルひとりの画面)の2部構成になっています。

実際にマッサージを行いながら、DVDを再生される場合には、「造顔マッサージ　実践編～ご自分の手で行う～」のチャプターで、声に合わせて、マッサージを行ってください。

※本DVDでは、手の動きをわかりやすくご覧になっていただくため、クリームは塗っていませんが、実際にマッサージを行う場合には、マッサージクリーム を顔全体に伸ばしてから行ってください。(20ページをご参照ください)

画面の操作

・最初はDVDを通してご覧になることをおすすめいたします。

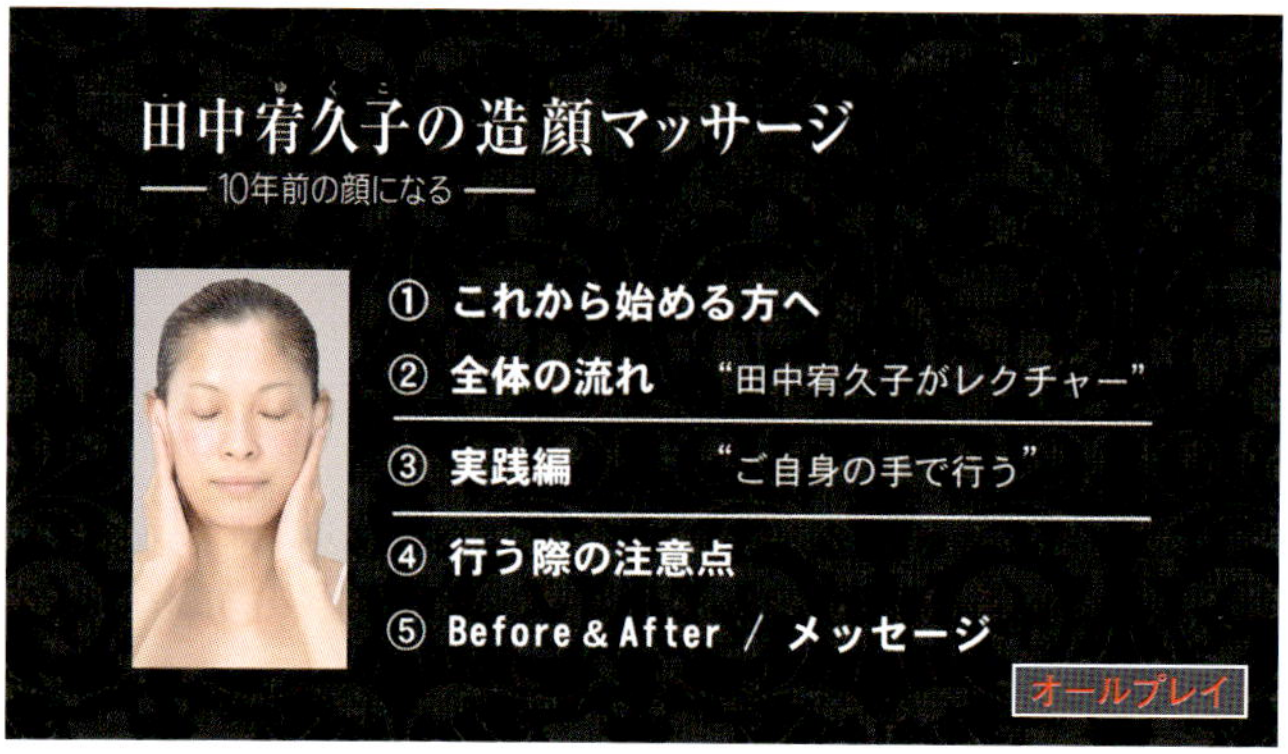

〈全映像を再生する場合〉
カーソルボタンで「オールプレイ」を選び決定ボタンを押します。
全映像が再生されます。再生終了後はメニュー画面に戻ります。
〈各項目から再生する場合〉
カーソルボタンで1～5いづれかの項目を選び決定ボタンを押します。
その項目から最後までの映像が再生されます。再生終了後はメニュー画面に戻ります。

・マッサージを行いながらDVDを再生される場合には、DVDのリモコンの十字キーを操作して、「③ 実践編～ご自分の手で行う～」を選択 してください。

DVD-Video 注意事項

◎ DVD-Video とは映像と音声を高密度に記憶したディスクです。
DVD-Video 対応プレーヤーで再生してください。ＤＶＤドライブ付きやＰＣやゲーム機などの一部の機種で、再生できない場合があります。

◎ このディスクは特定の国や地域のみで再生できるように作成されています。
したがって販売対象として表示されている国や地域以外で使用することはできません。
各種機能についての操作方法はお手持ちのプレーヤーの取扱説明書をご覧ください。

◎ このタイトルは、16：9 画面サイズで収録されています。

◎ このディスクは家庭用鑑賞にのみご使用ください。このディスクに収録されているものの一部でも無断で複製（異なるテレビジョン方式を含む）・改変・転売・転貸・上映・放送（有線・無線）することは厳に禁止されており、違反した場合、民事上の制裁及び刑事罰の対象となることもあります。

取り扱い上のご注意

◎ ディスクは両面とも、指紋、汚れ、傷等つけないように取り扱ってください。
また、ディスクに対して大きな負荷がかかると微小な反りが生じ、データの読み取りに支障をきたす場合もありますのでご注意ください。

◎ ディスクが汚れたときに、メガネふきのような柔らかい布を軽く水で湿らせ、内側から外側に向かって放射状に軽くふき取ってください。レコード用クリーナーや溶剤等は使用しないでください。

◎ ディスクは両面とも、鉛筆、ボールペン、油性ペン等で文字や絵を書いたり、シール等を貼付しないでください。

◎ ひび割れや変形、または接着剤等で補修されたディスクは危険ですから絶対に使用しないでください。また、静電防止剤やスプレー等の使用は、ひび割れの原因になることがあります。

保管上のご注意

◎ 使用後は、必ずプレーヤーから取り出し、ＤＶＤブック専用ケースに納めて、直射日光の当たる所や自動車の中など、高温、多湿の場所は避けて保管してください。

視聴の際のご注意

◎ 明るい部屋で、なるべくテレビ画面より離れてご覧ください。長時間続けての視聴は避け、適度に休憩をとってください。

26min.	片面一層	COLOR	MPEG2	複製不能

16:9　ALL

DOLBY DIGITAL
DOLBY is trademark of Dolby Laboratories Licensing Corporation

Epilogue

いかがでしたか。

正しく造顔マッサージを行えば必ず顔は変ります。

たるみ・くすみ・毛穴・小ジワ、すべての悩みが改善されます。

基本は、朝・夜２回行えば完璧ですが、個々の生活のペースで、時間がない時もお化粧前の１分でも２分でも、一日に一回でもマッサージをなさることをお勧めします。

自分の手で顔を造り変える。

年齢を忘れる、若さを持続する。

生活習慣としてマッサージを行えば、ストレスから解放され、“美”の拘束から解き放されて、自由な自信のある美しさが自分のものになります。

継続は美貌なり。

女性が心から笑える日々を楽しみに待っております。

田中宥久子